KB036160

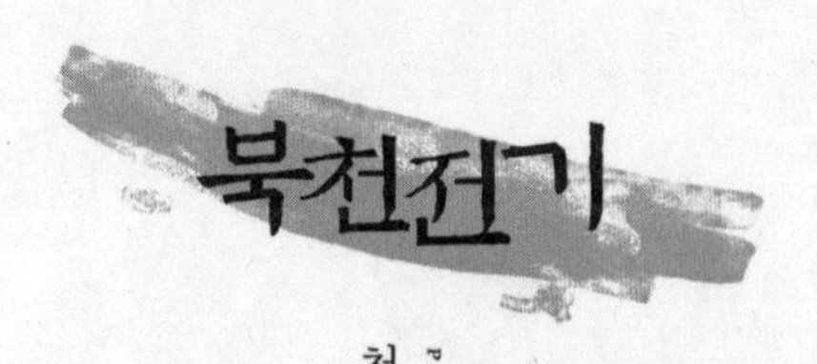

천봉 신무협 장편소설

PAPYRUS ORIENTAL FANTASY

북천전기 1

초판 1쇄 발행 2022년 8월 16일

지은이 | 천봉
발행인 | 신현호
편집장 | 이호준
편집 | 송영규 최종건 정재웅 양동훈 곽원호 조정범 강준석 최성화
편집디자인 | 한방울
영업 | 김민원

펴낸곳 | ㈜ 디앤씨미디어
등록 | 2002년 4월 25일 제20-260호
주소 | 서울시 구로구 디지털로 26길 111 JnK디지털타워 503호
전화 | 02-333-2513(대표)
팩시밀리 | 02-333-2514
E-mail | papy_dnc@dncmedia.co.kr
블로그 | blog.naver.com/gnpdl7

ISBN 979-11-364-3597-2 04810
ISBN 979-11-364-3596-5 (SET)

1

천봉 신무협 장편소설

PAPYRUS ORIENTAL FANTASY

북천전기

北天戰記

PAPYRUS
파피루스

1장

귀환

귀환

폭설이 사납게 내리던 날.

북부무림의 지배자이자, 철혈가의 주인이었던 철혈검제(鐵血劍帝) 이염(李廉)이 죽었다.

하늘도 울고 땅도 슬퍼하던 그때, 철혈가를 향한 한 사내의 여정이 막 끝을 보려 하고 있었다.

휘이잉.

연후는 잠시 시선을 들어 전방을 바라봤다.

휘몰아치는 눈보라 너머로 흐릿하게 보이는 거대한 성채(城寨).

철혈가(鐵血家).

무림을 관조하는 절대세력 백야벌(白夜閥)의 팔대가문 중 한 곳이자 그가 태어난 곳.

한때 자신의 모든 것이었던 철혈가의 풍경이 연후의 동공에 비수처럼 박혀들었다.

'이제야 돌아오다니…….'

상념이 밀려들었다.

질세라 짙은 회한(悔恨)이 상념을 밀어내자 연후는 지그시 눈을 감았다.

그런 그의 뒤에 흑발 사내가 있었다.

시퍼렇게 벼른 검이 사람의 모습을 하면 이럴까?

휘몰아치는 한풍(寒風)도 그의 곁에 이르러 봄바람으로 바뀌는 것 같은 착각마저 일어날 정도로 사내는 지독한 냉기(冷氣)를 품고 있었다.

사내의 손은 굵은 쇠사슬을 쥐고 있었고, 쇠사슬의 끝에는 얼굴을 천으로 가린 괴인이 묶여 있었다.

"철우."

"예, 주군."

"술 좀 다오."

"예."

사내 철우(鐵雨)는 허리춤의 호리병을 끌러 연후에게 건넸다.

마개를 열자 흘러나온 독한 주향(酒香)이 바람을 타고 이내 산산이 흩어졌다.

연후는 단숨에 호리병을 비웠다.

"한 병 더 드릴까요?"

"됐어."

연후는 다시 걷기 시작했다.

휘이잉……!

바람이 점점 더 사납게 변해 갔다. 큼지막한 나무가 바람을 이기지 못하고 쓰러졌지만 연후와 철우의 걸음걸이는 조금도 흐트러짐이 없었다.

그렇게 얼마를 더 걸었을까?

서서히 성문이 보이기 시작했다.

추위에 한껏 몸을 웅크린 무사들이 없었더라면 폐성(廢城)이라 착각을 할 정도로 성채 주변의 분위기는 매우 삭막했다.

"멈추시오!"

무사들이 연후와 철우를 발견하고는 날카롭게 소리쳤다.

연후가 걸음을 멈추자 무사 두 명이 다가왔다. 무사들은 상복을 입고 있었다.

"조문 때문에 오셨습니까?"

연후는 말없이 고개를 끄덕였다.

"하면 신분부터 확인을 해야 하니 잠시 이쪽으로……."

연후는 무사가 말을 다 하기도 전에 품속에서 원형의 패를 하나 꺼내어 내밀었다.

철혈(鐵血).

패의 한가운데 음각되어 있는 그 글자를 확인한 무사들은 소스라치게 놀라며 두 눈을 부릅떴다.

"헉! 이, 이것은……."

* * *

벌컥벌컥!

철혈가의 돌격대장 곽양(郭洋)은 자신의 거처에서 아침부터 지금까지 술을 마시는 중이었다.

도대체 무엇이 곽양을 화나게 만들었을까?

붉게 변한 얼굴은 결코 술 때문만은 아니었다.

퍼석!

빈 술병은 어김없이 구석으로 날아가 산산이 부셔졌다.

그러기를 벌써 스물 두 병째.

인사불성이 되어도 하나 이상할 게 없건만 오히려 안

색은 붉은 빛을 걷어내며 점점 더 창백하게 변해 갔고 두 눈은 호랑이의 그것처럼 이글거렸다.

"너무 많이 드셨습니다. 이제 그만…… 드시지요."

맞은편에 앉은 무사가 걱정스러운 얼굴로 조심스럽게 말했지만 곽양의 손은 또 다른 술병을 잡아 갔다.

"대전에 모두 모였다고?"

"예. 조금 전에 장가의 수뇌부들을 마지막으로 모두 참석한 것으로 보입니다."

"대부인은?"

"듣자니 아침나절부터 장회를 지지하는 가문들에게 온갖 선물을 보내느라 궁 전체가 정신이 없었다고 합니다."

퍼석!

술병이 이번에는 곽양의 손에서 산산이 부서졌다.

"가주께서 흘린 피가 채 식지도 않았거늘……."

"돌아가는 상황을 보면 오늘 회의에서 차기 주군이 결정될 것 같습니다. 적들의 공세가 나날이 심해지는 상황에서 주군의 자리를 공석으로 놔둘 순 없다는 장가(長家)의 의견이 설득력을 얻고 있는 터라……."

"그럴 테지. 그들이야 주군께서 돌아가실 날만 기다려 왔을 테니까."

그때였다.

안으로 무사 한 명이 다급히 뛰어 들어왔다.

"대장!"

곽양의 심복이 미간을 찡그렸다.

"무슨 일인데 이리 호들갑을 떠는 것이냐!"

"그, 그게…… 이공자께서 돌아오셨습니다!"

"……!"

곽양의 눈빛이 대번에 변했다.

"지금 이공자라 하였느냐?"

"예!"

쾅!

와장창!

곽양이 벌떡 일어나면서 탁자가 넘어지며 술병과 접시들이 마구 쏟아져 내렸다.

심복이 장포와 대검을 가져오자 곽양은 곧장 밖으로 향했다.

"지금 어디 계시느냐?"

"조금 전에 조사전에 드셨습니다."

* * *

조사전(祖師殿).

철혈가의 역사를 담은 그곳에 수많은 사람들이 모여 있었다.

“정말 이공자가 돌아왔단 말인가?”

“무사들이 신표를 확인했다는구먼.”

“십오 년 동안 생사조차 불분명해서 죽은 사람 취급을 했는데 하필이면 이런 때에 돌아오다니…….”

“말을 조심하게. 하필이면이라니! 하면 자네는 이공자께서 돌아오신 것이 기쁘지 않다는 말인가!”

“머리가 있으면 생각이라는 걸 해 봐. 이 시점에서 이공자가 돌아오면 차기 주군 선출에 큰 혼란만 빚어질 게 아닌가!”

“혼란이라니. 이미 대의는 결정되었네. 모두 알다시피 이공자는 선주께서도 내친 사람이니 이제 와서 주군의 자리를 내놓으라고 할 순 없을 것이네.”

“엇! 곽 대장 오신다.”

술렁거리던 인파가 한순간 잠잠해졌다.

그 한가운데로 곽양이 나섰다. 그가 걸을 때마다 인파가 좌우로 갈라졌다.

잠시 후, 정문에 다다른 곽양의 앞을 무사들이 막아섰다.

“들어가실 수 없습니다.”

"이공자가 맞는지 확인만 하겠다."

"죄송합니다."

무사들이 물러서지 않자 곽양은 그 자리에 가부좌를 틀고 눈을 감았다.

"여기서 이러시면……."

그때였다.

뒤쪽이 술렁거렸다. 뒤이어 두 명의 중년인이 인파를 헤치며 모습을 드러냈다.

그중 한 명이 인상을 쓰며 곽양을 힐끗 쳐다보고는 무사들에게 물었다.

"이공자가 돌아왔다는 게 사실이냐?"

"예. 지금 안에 계십니다."

"이놈들! 이공자라는 것은 어떻게 확신하고 감히 조사전의 문을 열어 준 것이냐!"

"제가 본 것은 틀림없는 이공자의 신패였습니다."

"가짜일 수도 있지 않느냐!"

"그건 나중에 직접 확인을 해 보시지요."

무사는 조금도 물러섬이 없었다.

그때 또다시 뒤쪽이 크게 술렁거렸다. 뒤이어 눈처럼 흰 상복을 걸친 중년인이 무사 몇 명과 함께 장내로 들어섰다.

장내는 이내 쥐죽은 듯 조용해졌다.

장회(長淮).

철혈가의 주요 가문 중 하나인 장가의 인물로, 북부무림의 차기 주군으로 유력시되는 가주 장천(長天)의 사촌이 되는 인물이었다.

[대장, 장가에서 왔습니다.]

심복의 전음에도 곽양은 요지부동이었다.

그런 곽양을 힐끗 쳐다본 장회가 무사들을 향해 담담히 말했다.

"들어갈 수 없으니 나오라고 전하여라."

"저희들도 감히 안으로 들어갈 수 없으니 나오실 때까지 기다리시지요."

"조사전에 가짜를 들이면 어찌 되는지 너희들도 모르지 않을 터. 더 일이 커지기 전에 냉큼 나오라고 전하여라."

"저희는 공자라 인정하여 조사전의 문을 열었습니다. 따라서 이후의 문제는 당연히 저희들이 책임지게 될 것이니 나오실 때까지 기다리시지요."

꿈틀.

장회의 눈썹이 칼날처럼 휘어졌다.

그때, 조사전의 정문이 천천히 열리기 시작했다. 곽양이 감았던 눈을 떴고, 장회를 비롯한 모든 이들이 숨을 죽였다.

끼이이……!

육중한 문이 좌우로 벌어지며 한 사람의 모습이 천천히 드러났다.

철우였다.

'이공자가…… 아니다!'

곽양의 눈동자가 가늘게 흔들릴 때, 철우의 무심한 목소리가 모두의 귓속으로 파고들었다.

"혹시 이곳에 곽양이라는 사람이 있소?"

"내가 곽양이오."

"들어오시오."

곽양이 기다렸다는 듯 벌떡 일어서자 장회가 조사전의 무사들을 향해 날카롭게 물었다.

"저지는 누군가?"

"공자의 일행이십니다."

"하면 저자는 본 가와 전혀 상관없는 외인이거늘, 우린 안 되고 저 자는 되는 이유가 무엇인가!"

"공자의 호위십니다. 주군의 직계는 호위를 대동할 권한이 있습니다."

장회가 한마디 더 하려고 할 때, 철우의 무심한 음성이 먼저 울렸다.

"조용히 하라는 주군의 명이 계셨소. 어기면 이후 죄를 묻겠다 하셨으니 그만 물러가든가, 입을 닫든가 하시오."

"……!"

* * *

철혈가의 대소사를 관장하는 대전(大殿).

따로 철혈의 장이라 불리는 그곳에 네 명의 수뇌들이 모였다.

철혈가의 가주이자 북부무림의 주군이었던 선주(先主) 이염의 죽음 이후, 공석으로 남아 있는 주군의 자리를 언제까지 비워 둘 수 없다는 이유에서 상중(喪中)임에도 불구하고 서둘러 마련된 자리였다.

하지만 십오 년 전에 가문을 떠났던 이공자 연후의 느닷없는 등장으로 분위기는 매우 심각하게 변해 있었다.

"이공자임이 틀림없다면 지금까지의 모든 의논은 없던 것으로 해야지 않겠소?"

칼날처럼 날카로운 분위기를 풀풀 풍기는 중년인이 무겁게 입을 열었다.

사마가(司馬家)의 가주 사마송(司馬松)이었다.

선주 이염의 생전에도 한쪽으로 치우치지 않는 합리적

인 성향으로 꽤 신임이 두터웠던 인물이었다.

"아무리 선주의 혈족이라도 십오 년이라는 긴 시간 동안 세가를 떠나 있었소. 그동안에 우리가 치렀던 전쟁만 수십 건에 이르고, 그 와중에 대공자를 비롯해 장렬히 산화한 무사들의 수만도 수천에 달합니다. 하물며 그동안에 어디서 무엇을 하는지 기별조차 없던 자가 이제 와서 자격을 논한다는 것은 이치에 맞지 않는 것 같소이다."

적염을 멋들어지게 늘어뜨린 중년인이 사마송의 말에 싸늘히 받아치며 나섰다.

장천(長天).

장가의 가주이자 차기 주군으로 유력한 인물이었다. 다른 두 명의 중년인이 장천의 말에 고개를 끄덕이며 동조하자 사마송이 말을 이었다.

"대공자께서 운명을 달리하셨으니 이제 이공자는 선주의 유일한 적자요. 당연히 그것이 모든 이치에 우선하는 법이 아니겠소."

"하면 사마가주께서는 이공자를 차기 북부무림의 주군으로 받아들이겠다는 뜻이오?"

"공자가 거부한다면 모를까, 받아들이겠다면 당연히 그래야지 않겠소. 북무무림의 모두는 주군가(主君家)의 철칙에 따라야 함을 명심하시오."

"혹시 사심이 있어서 이공자를 미는 것은 아닌지 의심스럽소만."

"말을 삼가라! 사심이라니!"

쾅!

사마송이 대노하여 탁자를 강하게 내리쳤다.

하지만 장천은 호락호락 물러서지 않았다. 오히려 사마송을 향해 비웃음을 머금은 채 담담히 말을 이었다.

"사심이 없다면 이공자를 주군의 자리에 올려야 한다는 말을 하기 이전에 대회의를 통해 결정을 해야 한다는 말을 먼저 했어야지. 아니 그렇소?"

"이 몸도 장 가주와 같은 생각이오."

"저 역시 그렇습니다. 이는 생전에 지위 고하를 따지지 않고 오직 가문을 위해 얼마나 더 헌신하였는가를 우선시해 온 선주의 뜻에도 부합하는 것이오."

바르르…….

사마송은 눈빛을 떨었다.

그때였다.

끼이이……!

대전의 문이 천천히 열리며 들이친 햇빛을 받은 그림자가 하나가 길게 늘어졌다.

연후는 천천히 대전을 가로질렀다.

자신을 향한 시선들에 담긴 불편함 따위는 아랑곳하지 않았다.

“진정 공자십니까?”

연후는 격동에 찬 목소리의 주인공을 응시했다.

사마송이었다.

“나를 알아보겠소?”

“제가 어찌 공자를 잊을 수 있겠습니까.”

연후는 자신을 향해 감격에 겨운 표정을 짓는 사마송을 잠시 응시하고는 대전의 상단으로 올라가 비어 있던 태사의에 앉았다.

오직 북부무림의 주군만이 앉을 수 있는 자리였다.

아무리 연후가 유일한 적자라도 함부로 앉아선 안 될 곳이었기에 그에게 우호적인 사마송마저도 낯빛이 급변했다.

갑작스러운 상황에 다들 말문이 막힌 그때, 장천이 연후를 똑바로 쳐다보며 담담한 어조로 말했다.

“아무리 공자라도 그 자리는 함부로 앉아선 안 되는 곳이니 그만 내려오시지요.”

연후는 말없이 장천을 직시했다.

그러다가 한마디 툭 던지듯 물었다.

“오랜만입니다, 외숙.”

"……."

"아무리 그래도 오랜만에 돌아온 조카한테 반갑다는 인사 정도는 해 줘야지 않겠습니까?"

"인사는 마음으로 대신하겠습니다."

담담히 머리를 숙이는 장천을 대신하여 한 중년인이 노호성을 터트렸다.

"예를 갖추시오, 공자! 아무리 공자라도 그 자리는 함부로 앉을 수 없소. 하니 어서 내려오시오!"

연후의 시선이 중년인을 향해 돌아갔다.

"내게 말을 걸려면 먼저 신분을 밝혀야지. 그게 당신이 말하는 예인 것 같은데……."

"……뭐요?"

"내가 너무 오랫동안 떠나 있어서 누가 누군지 제대로 기억이 나질 않아서 말이오."

"……."

분위기가 거칠어지자 장천이 나섰다.

"부지불식간에 찾아오시는 바람에 미처 인사가 늦었습니다."

뒤이어 장천이 중년인들을 돌아보자, 그들은 마지못해 자신을 밝혔다.

"……수석호법 홍손패요. 크흠!"

연후의 시선이 마지막 중년인을 향해 돌아갔다. 눈치를 살피던 그는 잠시 뜸을 들이더니 자신을 소개했다.

"총관을 맡고 있는…… 홍명입니다!"

홍명은 위압적인 분위기에 눌려 자신도 모르게 큰소리로 대답을 해 버리고 말았다.

지켜보던 사마송은 내심 크게 놀랐다.

'이럴 수가 있나.'

지금 이곳에 자리하고 있는 중진들은 전부 하나같이 자존심이 하늘을 찌르는 자들로, 무공또한 초절정의 수준을 넘어선 고수들이었다.

그런 이들이 연후의 기도에 압도당하고 있었다.

그저 공자라는 신분 탓에 물러선 것일 수도 있겠으나, 적어도 사마송의 눈에는 그렇게 보였다.

"사마가주."

"예, 공자."

"듣자니 차기 주군을 뽑기 위해 모였다고 하던데…… 사실이오?"

"상황이 상황인지라 논의를 하고자 모였을 뿐입니다. 하나 공자께서 돌아오셨으니 더는 필요 없는 자리가 될 테지요."

그때 장천이 나섰다.

"물론 적자가 뒤를 이음은 당연한 이치임에 틀림이 없지요. 하나 그러한 이치가 공자께는 해당되지 않을 듯합니다."

"이치는 나중에 따지도록 하고."

"그것보다 중요한 것은 없습니다, 공자."

"당신들 목숨보다 더 중요하다면 그렇게 하든가."

"……!"

"들어와."

연후의 나지막한 목소리에 철우가 문을 열고 들어섰다.

철그럭, 철그럭.

모두의 시선은 철우의 뒤에서 쇠사슬에 묶인 채 끌려오는 괴인에게 고정되었다. 그러다가 곽양이 들어서는 것을 보고는 미간을 찌푸렸다.

"곽양."

"예, 공자."

"형님이 돌아가시던 날, 경계를 맡았던 가문이 어디라고 했지?"

"장가입니다."

연후는 장천을 돌아봤다.

"맞소?"

"……그렇습니다."

장천은 처음부터 끝까지 담담했다.

마치 당신이 내게 뭘 어쩔 수 있겠냐는 것 같은 느낌이 었다.

연후는 그런 장천을 직시하며 말을 이었다.

"형님은 아버님의 뒤를 이어 주군이 되실 분이었으니 당신들에게 주군이나 다름없을 터. 하면 주군을 제대로 보필하지 못한 죄, 당연히 처벌받아 마땅하다고 보는데…… 장 가주는 어떻게 생각하시오?"

파르르…….

장천의 눈빛이 처음으로 살짝 흔들렸다.

하지만 그는 결코 호락호락한 인물이 아니었다.

"그 일은 이미 선주께 용서를 받았습니다만."

"내가 용서를 못하겠다면?"

"그 말씀은 선주께서 직접 세우신 가문의 법도를 어기시겠다는 뜻으로 들립니다."

"아버님도 선조들이 세우신 법도를 고쳤으니 나 역시 고친다고해서 문제 될 건 없을 것 같은데. 안 그렇소?"

"하면 먼저 주군의 직에 오르시지요. 그런 다음 처벌하시겠다면 기꺼이 감수하겠습니다."

"다들 장 가주의 이 말, 잊지 말고 새겨 두도록. 그 전에……."

말끝을 흐린 연후는 철우를 돌아봤다.

눈짓을 받은 철우가 괴인의 머리를 감쌌던 천을 끌렀다. 그러자 짓이겨질 대로 짓이겨진 참혹한 얼굴이 드러났다.

스르릉.

연후는 천천히 검을 뽑았다.

그 순간 실내에 가공할 한기가 휘몰아쳤다.

꿀꺽!

누군가 마른침을 삼키는 소리가 천둥처럼 울렸다.

바로 그때.

쐐애액!

연후가 던진 검이 매섭게 장천을 향해 쏘아졌다.

장천은 그것을 어렵지 않게 낚아챘으나, 눈동자에는 놀람과 더불어 은은한 노기가 담겨 있었다.

연후는 차갑게 웃으며 괴인을 향해 말했다.

"네가 누군지 알려 줘야겠다."

"나는…… 철혈가의 대공자를 죽인……."

퍽!

"컥!"

철우의 주먹이 괴인의 복부에 꽂혔다.

"다시."

"크으…… 나는 철혈가의 대공자를 죽인……."

으드득!

"크아악!"

철우가 괴인의 오른팔을 꺾어 버렸다.

뼈가 살갗을 뚫고 튀어나오는 참혹한 모습에 모두가 눈살을 찌푸렸다.

하지만 철우의 얼굴에는 일말의 감정조차 떠올라 있지 않았다. 그는 괴인의 왼팔에 손을 얹으며 싸늘히 말했다.

"다시."

"저는…… 철혈가의 대공자님을 시해한…… 살문의 문주 염굉…… 입니다."

"……!"

"뭣이!"

모두가 경악을 금치 못했다.

살문(殺門)의 문주 염굉(廉宏).

칼 밥을 먹고 살아가는 무림인이라면 모를 수 없는 인물이었다.

"오는 길에 형님의 영전에 바칠 제물이 필요할 것 같아 끌고 왔소. 무릇 제물이란 피를 흘려야 영험한 것…… 해서 장 가주에게 놈의 목을 벨 기회를 주겠소. 그래야 훗날 저승에서 형님을 볼 면목이 조금이나마 설 테니까."

파르르…….

담담했던 장천의 얼굴이 가는 경련을 일으켰다.

이는 수모였다. 또한 치욕이었다.

거칠 것 없이 달려왔던 삶에서 유일한 오점은 바로 대공자를 지켜 주지 못한 것이었다.

비록 선주의 용서를 받았지만 그에게는 씻을 수 없는 상처로 깊게 남아 있었다.

장천은 염굉을 응시했다.

그가 이목구비조차 알아볼 수 없을 만큼 짓이겨진 얼굴로 장천을 향해 이를 드러내며 웃고 있었다.

"크크크. 너따위 놈은 백 명이 있어도 나를 막지 못하지."

죽음을 앞둔 자의 조롱만큼 치욕적인 것은 없었다.

팟.

장천의 동공 깊숙한 곳에서 살광(殺光)이 터졌다. 뒤이어 수중의 검이 허공을 갈랐다.

퍽!

염굉의 목이 대전 바닥으로 떨어졌다.

당연히 피가 솟구쳐야 하건만 잘린 부위는 서리가 내린 것처럼 하얗게 얼어붙어 있었다.

또한 목을 벤 연후의 검에도 피 한 방울 묻어 있지 않았다.

장천은 검을 쥔 채로 연후를 향해 다가갔다.

그 모습에 곽양은 만약을 대비해 검파에 손을 얹었으나 이내 얼굴을 붉혔다. 정작 당사자인 연후는 한없이 무심한 얼굴로 다가오는 장천을 지켜볼 뿐인 탓이었다.

"검을 돌려 드리지요."

곽양의 우려와는 달리 장천은 검을 두 손 위에 올린 다음 연후를 향해 허리를 숙이며 내밀었다.

파르르…….

곽양은 눈빛을 떨었다. 치미는 격정에 입술마저 붉어졌다.

'이거다. 내가 바랐던 진정한 주군의 모습은…….'

선주 이염에게서 볼 수 없었던 압도적인 모습에 곽양은 가슴을 떨었다.

"더 하실 말씀이 있으신지요."

"없소."

"하면 이만 물러가 보도록 하겠습니다."

일어서서 나가려는 장천의 귓속으로 한 줄기 전음이 흘러들었다.

[내 손으로 외숙을 죽이는 패륜을 저지르게 하지 마시오.]

파르르…….

장천은 눈빛을 떨었다.

하지만 그것도 잠시, 장천은 흐릿한 미소를 머금으며 전음을 날렸다.

[북부무림의 주인이 되실 자격이 있는지 지켜보겠습니다. 모두가 인정할 만한 능력을 보여 주신다면 오늘과 같은 일은 없을 것을 약속드리지요.]

장천이 먼저 대전을 빠져나갔다.

뒤늦게 홍손패와 홍명이 뒤를 따라 대전을 빠져나가자 곽양이 기괴하게 웃었다.

"으흐흐."

사마송이 눈살을 찌푸리며 나무랐다.

"놈! 감히 공자 앞에서 그 무슨 해괴한 태도냐!"

"십 년 묵은 체증이 싹 가시는 것 같아서요. 죄송합니다. 으흐흐."

"어허!"

"어쩝니까. 자꾸 웃음이 나오는걸요."

"허어……."

사마송도 더는 나무라지 못하고 실소를 머금었다.

"사마가주."

"예, 공자."

"서북무림과의 전황을 한눈에 알아볼 수 있게끔 지도를 만들어 줘야겠소."

"알겠습니다. 오늘 저녁까지 만들어 올리도록 하겠습니다. 하면 이제 좀 쉬시지요."

"아니오. 다시 조사전으로 가 봐야겠소."

"이미 다녀오셨지 않습니까?"

"장례가 사흘 남았으니 그동안 아버님의 곁을 지켜 드리고 싶소. 지도가 만들어지면 조사전으로 가져오시오."

"예. 그리하겠습니다."

* * *

연후는 조사전을 향했다.

오가는 무사들 중에서 그를 알아보는 사람은 아무도 없었다. 오히려 대체 누군데 대전에서 나오는지 그것을 의아해할 뿐이었다.

'하긴 십오 년은 결코 짧은 세월이 아니지.'

연후는 곧 상념에 빠져들었다.

돌이켜보면 십오 년의 세월 동안 지옥 같은 삶을 살아왔다.

네가 있어 네 형이 위험해질 수 있다. 하니 너는 떠나야 한다. 아주 먼 훗날 때가 되면 아비의 마음을 이해하게 될

것이다.

십오 년전.

열다섯의 어린 나이로 삶의 모든 것이었던 철혈가를 떠나야 했던 이유는 아버지의 이 말이 전부였다.

이후의 삶은 지옥, 그 자체였다.

살아남기 위해 무엇이든 해야 했고, 그 와중에 생사의 위기도 숱하게 겪었다.

그 세월이 무려 십오 년.

결국 연후는 살아남았고 강력한 힘을 얻었다.

불굴의 투지와 끈기, 집념으로 천 년 동안 아무도 깨지 못했던 강호의 전설도 자신의 것으로 만들었다.

그리고 돌아온 강호에서 가장 먼저 들었던 소식은 아버지와 형의 죽음이었다

형은 이미 몇 해 전에 죽었고, 아버지는 백 일이 채 지나지 않았다.

연후는 자신을 쫓아낼 때의 아버지를 떠올렸다.

그때를 떠올리면 여전히 피가 끓고 주체할 수 없는 분노가 솟구쳤다.

'꼭 그랬어야만 했습니까?'

아버지가 앞에 있다면 정말 그 방법밖에 없었는지 묻고

싶었다.

하지만 아버지도 형도 모두 죽었다.

다른 형제를 두지 않았으니 이백 년 동안 북부무림을 통치해 온 가문의 핏줄은 오직 연후, 자신만이 남아 있을 뿐이었다.

휘이잉!

눈발을 동반한 찬바람이 연후의 전신을 할퀴고 지나갔다.

"어서 오십시오."

조사전의 무사들이 머리를 조아렸다.

연후는 그들을 잠시 바라봤다.

십오 년 만에 돌아온 자신을 그들은 철저히 믿어 주었다.

물론 저기 저 중년인 덕분이었다.

"다시 드시겠습니까?"

중년인 석청(昔靑)은 조사전의 수장으로 연후가 쫓겨나기 전까지 그를 유독 사랑했던 인물이었다.

조사전은 주군을 비롯한 최고 기구의 간섭을 받지 않는 독자적인 집단이었기에 석청은 연후를 조사전에 들 수 있게 해 주었다.

"사흘 동안 아버님의 곁을 지켜 드리고 싶소."

"그리하십시오."

"고맙소."

"어인 말씀을요. 속하는 공자께서 이리 무사히 돌아오신 것만으로 그저 하늘에 감사할 따름입니다. 하면 어서 드시지요."

석청이 조사전의 문을 열었다.

향연(香煙)이 뿌옇게 서려 있는 그곳에 아버지 이연의 영정이 있었다.

'지켜보십시오. 아버지가 내쳤던 아들이 만들어 갈 철혈가의 세상을…….'

* * *

장가(長家).

불과 이십 년 전까지만 해도 장가는 북무무림에서 보잘것없는 변방의 작은 가문에 불과했다.

그러한 장가가 주요 가문의 하나로 올라설 수 있었던 것은, 현 가주 장천의 누이가 병사(病死)한 대부인을 대신해 선주 이염의 정실이 되면서부터였다.

장천의 누이를 지극히 아꼈던 이염은 그때부터 장가의 인물들을 중용하기 시작했고, 정치적 야망이 컸던 장천의 누이는 암중에서 막강한 권력을 이용해 물심양면으로 장가를 도왔다.

덕분에 오늘날에 이르러 주군가인 철혈가에 맞먹는 세력으로 성장할 수 있었고, 가주 장천은 선주의 뒤를 이어 주군의 권좌에 오를 가장 강력한 후보로까지 올라서게 되었다.

탁!

찻잔을 내려놓는 장천의 표정이 의외로 담담했다. 연후로부터 수모를 당한 것을 생각하면 의외라고 볼 수 있었다.

또한 다 잡았다고 여겼던 권좌의 꿈이 연후로 인해 살짝 멀어졌음에도 그는 전혀 괘의치 않는 모습이었다.

맞은편에 앉은 장회가 물었다.

"정말 이대로 포기하실 겁니까?"

"무슨 소리. 다만 지금은 때가 아니다. 아무리 상황이 어렵다 해도 선주의 적자가 나타난 이상 서두르다가는 되레 우리가 당할 수도 있다."

"하필이면 이런 때에 이공자가 돌아오다니……. 이러다가 일이 잘못되는 건 아닌지 걱정입니다."

"걱정할 거 없다. 오히려 우리에게 기회가 될 수도 있으니까."

"그게 무슨……."

"아직 우리 쪽으로 넘어오지 않은 세력이 많다. 그들에게 이공자는 내게 반대할 좋은 명분이 되겠지. 이런 상황에서 무리하게 권좌에 오르면 끊임없는 정쟁에 휘말리게 될 것이다."

"알아듣기 쉽게 말씀을 해 주시지요."

피식.

장천이 의미심장한 미소를 머금었다.

"이공자에게 잠시 주군의 자리를 맡겨 놓을까 한다."

"형님!"

"끝까지 들어."

"……."

"지금껏 어디서 무슨 삶을 살다가 돌아왔는지는 모르겠다만 그 나이에 북부무림을 다스릴 만한 재량은 없을 터. 하물며 벽력가(霹靂家)가 이끄는 서북무림의 공세가 나날이 격해지는 작금의 상황이라면 이공자에게 주군의 자리는 오히려 독이 될 테지. 후후후."

"하면 형님의 뜻은……."

"애송이의 무능이 만천하에 드러날 때, 그때 자연스럽게 권좌에 오르는 것이 여러모로 나와 가문에게 좋지 않겠느냐. 그때가 되면 본 가를 반대하는 세력들도 입을 다물게 될 테니까."

말이 끝나자 장회의 표정이 싹 변하더니 경탄성을 늘어놓았다.

"역시 형님이십니다. 소제는 그런 쪽으로 전혀 생각조차 하지 못했는데 말입니다!"

장천은 남은 차를 마저 비웠다.

탁.

"여우 주제에 호랑이 흉내를 잘도 내더군. 두 머저리들이 압도를 당해 숨소리조차 제대로 내쉬지 못할 만큼 말이야."

"……그 정도였습니까?"

"놈이 누굴 데리고 왔는지 아느냐?"

"누굴 데려왔습니까?"

"대공자를 죽인 살문의 문주 염굉, 놈을 끌고 왔더구나."

"말도 안 됩니다! 염굉은 행적을 찾는 것 자체가 불가능할뿐더러, 설사 찾아낸다고 해도 벽력가가 뒤를 봐주고 있는 데다 일신상의 무공이 엄청난 고수인데 이공자가 어떻게……."

"그러니 그 두 머저리가 기겁을 하고 자라 새끼처럼 목을 움츠릴 수밖에. 하긴 나도 그땐 무척 많이 놀라긴 했지."

장천은 대전에서의 일을 떠올리며 눈빛을 가라앉혔다.

내 손으로 외숙을 죽이는 패륜을 저지르게 하지 마시오.

'감히…….'

장천은 다시 찻잔을 잡아 갔다.

그때 안으로 준수한 청년이 들어섰다.

이십대 초반쯤 되었을까? 생김새는 물론이고, 분위기까지 장천과 매우 흡사했다.

"소자 다녀왔습니다."

청년은 장천이 목숨보다 소중히 여기는 외동아들 장소(長素)였다.

그가 들어서자 장천의 얼굴이 언제 그랬냐는 듯 밝아졌다.

"무사히 잘 다녀와서 다행이구나. 그래, 갔던 일은 잘 되었고?"

"예. 아버님께서 신경을 써 주신 덕분에 별탈 없이 잘 마무리할 수 있었습니다. 한데 들어오다가 들었는데 이 공자가 돌아왔다고……."

"그 문제는 나중에 얘기하고 가서 대부인께 인사부터 드리고 오너라."

"예, 아버님."

장천은 아들의 뒷모습을 잠시 바라보다가 자리에서 일어섰다.

"나가십니까?"

"장로원에 들러 의논을 해야겠으니 너 먼저 돌아가서 쉬도록 해."

"저도 같이 가겠습니다."

"됐어."

* * *

조사전.

사마송이 연후를 찾아왔다.

다행히 석청이 그의 출입을 허락해 줬다.

사마송은 연후에게 두툼한 책 두 권과 한 장의 커다란 지도를 건넸다.

"이건 뭐요?"

"주군가와 북부무림의 주요 가문과 고수들에 대한 정보를 담아 둔 서책입니다. 그리고 이것은 현재 우리와 대치하고 있는 벽력가의 병력 분포도입니다."

연후는 지도부터 펼쳤다.

"산맥을 중심으로 북쪽이 아군, 남서쪽이 벽력가가 이끄는 서북무림인데, 적의 주요 병력은 붉은 점으로 표시해 두었습니다."

"크기의 차이는 병력의 숫자를 의미하는 것이오?"

"그렇습니다."

"거의 세 배라고 봐야겠군."

"안타깝지만 그렇습니다."

벽력가(霹靂家).

일명 불의 전사들이라 불리는 그곳은 철혈가와 마찬가지로 백야벌의 팔대가문 중 한 곳이며 서북무림의 주군가였다.

연후가 어렸을 적부터 북부무림과 서북무림은 끊임없는 전쟁을 치렀고, 서로 우열을 가리기 힘들 정도로 백중세를 유지해 왔었다.

'이렇게까지 밀려 버리다니…….'

지도에 나타난 붉은 점은 숫자와 지형에서 아군을 완전히 압도하고 있었다.

탁.

연후는 지도를 덮으며 물었다.

"자금과 물자 상황은 어떻소?"

"쉽지 않은 상황입니다. 공자께서 떠나신 이후에 전쟁

이 더 격화되었는데, 그 와중에 가장 소중한 자금줄이었던 두 곳의 철광이 적의 공격에 붕괴되는 바람에……."

말을 다 잇지 못하는 사마송이었다.

"병력의 사기는."

"모두가 결사 항전의 정신으로 지금껏 버텨 왔지만, 선주께서 돌아가시면서 그마저도 많이 흔들리고 있는 실정입니다."

"장가가 그 점을 노리고 서둘렀군."

"그렇습니다. 꽤 많은 이들이 선주의 공백을 염려하는 상황이라……."

연후는 말을 들으면서 북부무림의 주요 가문들과 고수들에 대한 내용을 읽었다.

그러다가 이채를 발한 것은 유난히 굵은 글씨로 적어 놓은 한 세력명(勢力名)을 발견했을 때였다.

"여기 적혀 있는 적랑단은 어떤 곳이오?"

"세상은 그들을 마적단이라 부르지만 사실은 용병에 가까운 자들입니다. 돈을 받고 대신 전쟁을 치러 주는 곳인데, 전력이 매우 강력하여 선주께서도 그들을 휘하에 들이려 공을 들였습니다만……."

뒷말은 듣지 않아도 충분했다. 성공을 했더라면 이런 식으로 말하지는 않았을 테니까.

"한데 왜 북부무림의 주요 가문에 올려놓았소?"

"반드시 포섭을 해야 할 세력이라 따로 굵게 표시를 해 놓은 것입니다."

"그 말은 적랑단이 아직 다른 세력에 붙지 않았다는 뜻이오?"

"그렇습니다."

탁!

연후는 책을 덮었다.

"더 읽어 보시지 않으시고……."

"지금 다 본다고 해서 달라질 게 있겠소. 일단은 장례를 끝내고 전장으로 바로 가 봐야 할 것 같소."

"마땅히 그래야 하나 조금은 시간을 갖고 움직이는 것이 좋지 않을는지요. 작금의 상황은 한 번 삐끗하면 다시는 올라올 수 없는 운교(雲橋)와 다름없으니 매사에 신중을 기하심이……."

"내게 생각이 있으니 같이 떠날 병력을 준비해 주시오."

"……알겠습니다. 하면 사흘 후에 뵙도록 하겠습니다."

머리를 조아린 사마송이 나가려는 것을 연후가 불렀다.

"사마가주."

"예?"

"고맙소. 나를 잊지 않고 받아 줘서."

* * *

사흘 후.

수많은 사람들이 조사전으로 몰려들었다.

뒤늦게 연후의 귀환을 알게 된 사람들까지 몰려들면서 조사전의 주변은 북새통을 이루었다.

반응은 제각각이었다.

반기는 사람들이 있는가 하면 전혀 그렇지 않은 사람들도 많았다.

굳이 따지자면 후자가 더 많았는데, 다만 양측의 공통된 분위기는 이후에 불어닥칠 정치적 혼란에 대한 걱정이 크다는 점이었다.

사람들은 연후가 나오기를 기다렸다.

그중에는 사마송을 비롯한 주요 가문들의 수장들과 철혈가의 돌격대장 곽양도 있었는데, 첫날부터 신경전을 벌였던 장천의 모습은 어디에도 보이지 않았다.

끼이이…….

드디어 조사전의 문이 열리자 사람들은 숨을 죽였다.

잠시 후, 연후가 모습을 드러내자 기다리고 있던 사마송이 나섰다.

"병력이 기다리고 있습니다. 하면 바로 떠나시겠는지요."

"그 전에 들러야 할 곳이 있소."

"들러야 할 곳이라면……."

"장로원으로 갑시다. 아무리 바빠도 원주에게 인사는 해야지 않겠소."

"알겠습니다."

연후는 곧장 장로원을 향했다. 그가 걸음을 옮길 때마다 사람들이 좌우로 갈라졌다.

사마송이 곁을 함께하며 말했다.

"혹시나 해서 말씀드리는데…… 장로원주는 누구보다 장천이 주군의 자리에 오르기를 바라고 있습니다. 휘하의 장로들도 다르지 않을 것입니다."

"알겠소."

잠시 후, 장로원에 이른 연후의 앞을 무사들이 막아섰다.

"멈추시오!"

"원주를 만나러 왔다."

"하면 잠시 기다려 주시오."

척.

연후는 돌아서려는 무사의 뒷덜미를 움켜잡았다.

"내가 누군지 알고 있나?"

"이공자가 아니시오."

퍽!

"억!"

무사가 저만치 나가 떨어졌다.

"그럼 행동과 말투부터 공손히 고쳐."

"이 무슨 짓……."

짝!

"큭!"

무사의 입에서 피가 튀었다.

사마송이 호랑이 눈을 하고서 무사를 노려보았다.

"감히 공자께 짓이라니…… 네놈이 죽고 싶어 환장을 하였구나."

다른 무사는 창백하게 질린 채 그 자리에 얼어붙었다.

연후는 무사를 제치고 곧장 안으로 들어갔다. 드넓은 마당을 지나자 또다시 두 명의 무사들이 앞을 막아섰다.

하지만 그들은 이미 정문에서 벌어졌던 일을 목격한 터라 함부로 나서지 못했다.

"공자께서 원주를 뵙자고 하신다. 어서 문을 열어라."

"열면…… 저희가 벌을 받습니다. 하니 먼저 공자의 내방을 전하도록 허락해 주십시오."

사마송이 연후를 응시했다.

연후는 묵묵히 고개를 끄덕였다.

"……감사합니다."

무사가 안으로 들어가고 얼마 지나지 않아 한 노인이 무사와 함께 나섰다.

장로들 중 한 명이었다.

"원주께선 안에 계시오?"

"……들어가시지요."

연후는 장로를 지나쳐 안으로 들어갔다.

실내에 세 명의 노인이 있었다. 연후는 그중에서 상석에 앉아 자신을 오연히 내려다보는 노인을 직시했다.

장로원주 송겸(宋謙)이라는 인물이었다.

"오랜만입니다, 장로."

"어서 오시오. 이토록 헌앙한 공자의 모습을 보니 이 늙은이의 마음이 비로소 놓이는구려."

십오 년만의 해후치고는 무미건조한 인사였다.

하지만 연후나 송겸, 누구 하나 눈빛조차 변하지 않았다.

"자리를 내 드려라."

"됐소. 금방 가 봐야 해서."

"듣자니 전장으로 가신다고…… 하면 바로 본론으로 들어갈까요?"

송겸의 태도는 마치 연후가 왜 장로원을 찾아왔는지 알고 있다는 것처럼 보였다.

연후는 바로 본론을 꺼냈다.

"주군가의 법도에 따라 이 시간 이후부터 북부무림의 병력과 관련한 지휘권은 본인이 갖겠소. 전장으로 떠나기 전에 절차상 원주에게는 전해야 할 것 같아 찾아온 것이오."

"허락을 구하는 것이오?"

"통보하는 것이오."

연후의 거침없는 태도에 다른 장로들이 눈살을 찌푸렸다.

하지만 송겸은 여전히 눈빛 하나 변하지 않았다. 오히려 그는 입가에 미소마저 머금었다.

"알겠소. 그리하시오."

"원주! 그 중요한 것을 어찌 이리 쉽게 처리하십니까!"

"주군가의 법도에 따른 것이니 장로들은 이의를 제기하지 말라."

다른 장로들을 일축한 송겸은 그제야 자리에서 일어나

연후를 향해 살짝 머리를 숙였다.

"함께 가야 마땅하나 심신이 온전치 않아 그저 무운을 빌어 드릴 뿐이외다. 하면 조심히 잘 다녀오시오, 공자."

"고맙소."

연후는 곧장 장로원을 나섰다.

그러다가 입구에 이르러 걸음을 멈추고 송겸을 돌아봤다. 송겸도 그때까지 연후를 응시하고 있었다.

"얼마 전에 증손자를 얻었다고 들었는데 좋으시겠소. 원래 장로의 가문이 손이 귀하지 않소."

"축하를 해 주는 것이라 믿겠소."

뒤이어 송겸의 귓속으로 연후의 서늘한 목소리가 흘러들었다.

[장천 지지를 철회하고 중립을 지키시오. 하면 평온한 여생은 보장하겠소.]

"……!"

2장

전장을 향하다

전장을 향하다

휘이잉.

눈보라가 휘몰아치는 산악 지대.

며칠 동안 쏟아진 폭우로 인해 순백(純白)의 세상으로 변해 버린 그곳에 한 무리의 백포인들이 모습을 드러내었다.

숨을 내쉴 때마다 흘러나온 입김이 수염에 달라붙어 이내 얼음으로 화해 버리는 혹한 속에서도 백포인들의 눈빛은 사냥감을 찾는 범처럼 매섭고 날카로웠다.

가슴에 박혀 있는 북부(北部)라는 글자가 그들의 정체를 알려 주고 있었다.

"고추가 완전 쪼그라들었네. 젠장."

"너는 안 그래도 요만한데 쪼그라들어 봤자 표시나 나겠냐?"

"뭐? 이런 개쌍놈의 새끼가."

"부전주님, 이 자식이 저더러 쌍놈의 새끼라는데요?"

"조용히 해라."

선두의 장한이 한마디 하자 주변은 다시 바람 소리만이 남게 되었다. 대원들을 나무란 장한이 저만치 앞을 걸어가는 한 사내를 바라봤다.

장패(長覇).

철혈가의 무력부대 백도전(百刀殿)의 수장인 그는 마치 한 마리 호랑이를 보는 것 같은 착각이 들 정도로 위맹한 기도를 뽐내고 있었다.

부전주 황찬(黃燦)이 조심스럽게 물었다.

"경계 지역 끝까지 올라갑니까?"

"기왕에 왔으니 그래야지 않겠느냐."

"알겠습니다."

"그 전에 저 놈들 주둥이부터 막도록 해. 어디에 적의 정찰병이 깔려 있을지 모르니까."

"예."

얼마나 더 이동했을까?

장패가 손을 들어 모두를 멈추게 하고는 앞으로 나섰

다. 그가 나선 곳은 절벽의 끝이었다.

장패는 절벽 너머를 날카롭게 살폈다.

황찬이 곁에 나란히 서며 말했다.

"설마 여기까지야 올라왔겠습니까?"

"그렇게 당해 놓고도 설마타령이냐."

"……."

"상식의 범주를 벗어난 놈들이다. 하면 우리도 상식의 범주를 벗어난 선에서 모든 것을 예측하고 대비해야 한다는 것을 명심해."

"옙."

한동안 더 주변을 날카롭게 살핀 장패는 모두를 향해 말했다.

"이곳에서 잠시 휴식을 취한다. 돌아갈 때를 대비해 술은 아껴 마시도록 하고."

"예."

"으하."

펄펄!

휴식 명령이 떨어지자 백도전은 저마다 눈 속에 드러누워 뜨겁게 달궈진 몸을 식혔다.

"드시겠습니까?"

장패는 황찬이 건넨 술로 목을 축였다.

“백야벌에서 중재에 나선다는 소문을 들었는데, 부디 그렇게 되었으면 좋겠습니다.”

“언제 백야벌이 가문 간의 전쟁에 개입하는 것을 봤느냐. 그들은 항상 더 강한 쪽의 손을 들어 줬다. 강자존(强者存), 오직 그것만이 수백 년간 이어져 온 백야벌의 철칙이자 불문율이다.”

“그렇긴 하지만…….”

“두려운 모양이구나.”

“죽음이 무섭지는 않습니다. 다만…… 빌어먹을 서북무림 놈들한테 패할까 봐, 그것이 두려울 뿐입니다.”

“패하긴 누가 패해. 쓸데없는 소리 그만하고 좀 쉬도록 해.”

“……예.”

장패의 눈에서 불꽃이 일렁거렸다.

그는 다시 시선을 절벽 너머 눈보라가 휘몰아치는 곳으로 던졌다.

그때였다.

“전주님!”

한 대원이 다급히 외쳤다. 돌아보니 소변을 보기 위해 숲으로 들어갔던 대원이었다.

“무슨 일이냐?”

"여기 시체가 있습니다!"

"뭐?"

장패와 황찬은 재빨리 대원이 가리킨 숲으로 향했다. 과연 두 구의 시신이 있었다.

황찬이 재빨리 시신을 살폈다.

"적의 정찰병인 것 같은데, 죽은 지 얼마 지나지 않았습니다."

장패의 미간이 슬며시 일그러졌다.

적의 정찰병이 이곳까지 왔다는 것도 문제지만 누가 저들을 죽였느냐는 것이었다.

장패는 허리를 숙여 시신의 상태를 직접 살폈다. 그리고 곧 사인을 확인하고는 놀람을 금치 못했다. 시신의 가슴에 작은 구멍이 나 있었는데, 뒤집어 보니 등에 몇 배는 더 큰 구멍이 뚫려 있었다.

'화살에 관통을 당해도 이런 식으로 구멍이 크게 나지는 않는데…….'

"전주님, 이곳에도 시신이 있습니다!"

주변을 살피던 대원의 목소리였다.

장패는 대원이 발견한 시신이 있는 곳으로 이동했다. 역시 두 구의 시신이 있었는데, 똑같은 상처가 가슴과 등에 나 있었다.

'아군에 이런 흔적을 남기는 무공을 사용하는 고수가 있었나?'

장패가 의문에 휩싸여 갈 때였다.

황찬이 나지막이 그를 불렀다.

"전주님."

장패가 고개를 들어 쳐다보니 황찬이 턱짓으로 맞은편 절벽을 가리켰다.

고개를 돌린 장패의 두 눈에 숲을 헤치며 나서는 자들의 모습이 비수처럼 파고들었다.

'혈귀(血鬼)…….'

한눈에 그들을 알아본 장패는 대원들을 향해 나지막이 외쳤다.

"모두 기상."

장패의 나지막한 한마디에 눈 속에 드러누웠던 백포전의 대원들이 일제히 몸을 일으켰다.

"혈귀다!"

"저 빌어먹을 새끼들이 정말 여기까지 올라왔잖아."

모두가 일제히 적개심을 드러냈다.

혈포인들은 일명 혈귀라 불리는 벽력가의 전투병들로, 이름만큼이나 손속이 잔혹하기로 유명한 자들이었다.

장패는 수년 동안 이곳에서 혈귀와 숱한 전투를 치렀

고, 그 와중에 상당수의 혈귀를 죽인 까닭에 적진에서 그를 모르는 자가 없을 정도였다.

"후후후. 천하의 백도전주 장패가 여기까지 어쩐 일로 납셨을까?"

한 줄기 비아냥거림이 흘러들었다.

절벽의 끝으로 나서서 조소를 날리는 혈포인은 백 명의 혈귀를 이끄는 백인장으로, 지금까지 장패와 몇 번에 걸쳐 격돌한 바가 있었다.

"뒈진 줄 알았는데 용케 살아남았군."

"네놈을 죽이기 전에는 절대 죽을 수 없지."

혈포인이 자신의 얼굴을 가리키며 이를 드러냈다. 얼굴을 길게 가로지른 상흔(傷痕)은 장패에게 당한 것이었다.

"기다려. 다시 전쟁이 시작되면 네놈의 목을 베러 달려갈 테니까."

"기대하고 있으마."

그때였다.

펑!

하늘에 한 발의 폭죽이 터졌다.

벽력가가 사용하는 일종의 신호탄이었다.

"그럼 오늘은 여기까지."

혈귀들이 사라졌다.

장패는 사라지는 혈귀들을 응시하며 눈빛을 가라앉혔다.

선주의 죽음으로 인해 잠시 중단되었던 전쟁이 다시 시작되게 될 것이다. 또 얼마나 많은 병력이 죽어 나갈지를 생각하니 암울함이 밀려들었다.

그것만큼이나 장패를 음울하게 만드는 것은 누가 북부무림의 새로운 주군이 될 것인가 하는 문제였다.

'장가의 가주는 주군이 되기에는 그릇이 부족한 사람이거늘…….'

장패는 장천을 믿지 못했다.

꽤 많은 이들이 그와 같은 생각을 하고 있었지만, 문제는 장천을 지지하는 사람들의 수가 더 많다는 점이었다.

그로 인해 북부무림은 분열의 조짐마저 보이고 있었다.

'대공자만 살아 계셨어도…….'

한 차례 한숨을 내쉰 장패는 황찬을 바라봤다.

"귀환한다."

"예, 전주."

먼저 돌아선 장패.

하지만 그는 한 걸음도 앞으로 내딛지 못했다.

전방의 숲을 뚫고 우뚝 솟아오른 거목. 그 꼭대기에 한 청년이 유령처럼 서 있는 것을 본 것이다.

치렁치렁한 흑발을 한 사내는 어지간한 것보다 두 배는 더 큰 대궁(大弓)을 메고 있었다.

장패는 어깨에서 대도를 내렸다.

"누구냐?"

그제야 괴인의 존재를 확인한 백도전의 대원들이 일제히 대도를 쥐며 대형을 갖췄다.

처처처척!

"여기까지 와 놓고 그냥 가면 어쩌자는 거야."

소년처럼 해맑은 목소리였다.

"누군지 정체부터 밝히시지."

"적은 아니니까 염려 붙들어 매."

"혹시 저기 저 시신들…… 그쪽이 그랬나?"

씨익.

"운이 없게도 막 이쪽으로 넘어오다가 내 눈에 띄고 말았지. 죽일 마음은 없었는데 다짜고짜 칼을 뽑아 들고 달려드니 어쩌겠어."

장패는 청년의 대궁을 응시했다.

그때 청년이 말을 이었다.

"이곳에 초소를 세우고 경계 병력을 상주시키는 게 좋을 거야. 지대가 높고 주변이 뻥 뚫려 있어서 적의 기습을 대비하기에 최고의 장소니까."

"그러니까 누구냐고."

씨익.

"나중에 다 알게 될 거야. 그럼 안녕."

팟.

청년이 귀신처럼 사라졌다.

"엇! 사라졌다!"

"뭐야, 어디로 사라진 거야?"

대원들이 저마다 휘둥그레졌다.

모두가 청년의 움직임을 놓쳤지만, 장패만은 청년이 사라진 방향을 바라보며 슬며시 미간을 좁혔다.

'엄청난 경공술……. 누구지? 적은 아니라 했지만 아군도 아닌 것 같은데…….'

* * *

결국 대원 몇 명을 새로 개척한 초소에 남겨 둔 장패는 곧장 군영으로 귀환했다.

수만에 달하는 병력이 숲과 두터운 천막에 의지해 혹한을 견뎌 내고 있었다.

장패는 곧장 백도전의 막사로 향했다.

그때 그를 향해 뛰어오는 청년이 있었다.

"전주님!"

"웬 호들갑이냐."

"백야벌에서 사자가 왔습니다!"

"……백야벌에서?"

"예. 우리와 서북무림의 전쟁을 중재하기 위해 왔다고 합니다!"

장패는 믿기지 않았다. 백야벌은 지금껏 가문들 간의 전쟁에 개입을 한 적이 없었다.

청년이 말을 이었다.

"사람들 말로는 올해가 대지존께서 환갑을 맞는 해인데, 아마 그것 때문인 것 같다고 합니다."

장패의 낯빛이 살짝 변했다.

물론 좋은 의미의 변화였다. 이 피비린내 나는 전쟁을 멈출 수만 있다면 무엇이든 좋았다.

'대지존의 환갑이 올해라면 충분히 그럴 수도 있겠구나.'

"아! 그리고 정말 놀라운 소식이 또 있습니다."

"빨리 말해."

"이공자께서 돌아오셨다고 합니다."

"어느 가문의 이공자를 말하는 것이냐?"

"어디긴요. 주군가의 이공자죠. 지금 이곳으로 오고 계시는 중인데 늦어도 내일 오후쯤이면 도착한다고 들었습니다."

"……!"

장패는 백야벌에서 사자가 왔다는 말을 들었을 때보다 더 놀랐다.

'정말 이공자께서 돌아오셨단 말인가.'

이공자 연후는 철혈가의 아픈 손가락이었다.

대공자의 행보에 방해가 될 거라는 이유만으로 내침을 당했을 때, 그를 사랑했던 많은 이들이 눈물을 흘렸었다.

장패도 그중 한 명이었다.

비록 그때 그의 나이 스물이 채 되지 않았지만, 그때의 아픔은 지금도 가슴 깊은 곳에 아련하게 남아 있었다.

죽지 말고 살아 있어. 그럼 언젠가는 다시 만나게 될 거야.

철혈가를 떠날 때, 몰래 배웅을 나간 장패에게 연후는 이 말만 남기고 떠났었다.

'정말 돌아오신 겁니까?'

두근두근.

가슴이 마구 뛰었다.

"으흐흐……."

"전주님, 갑자기 왜 이러십니까?"

장패는 흥분을 애써 억누르며 막사로 향했다. 그런 그의 눈가가 붉게 물들어 가고 있었다.

* * *

휘이잉.

아군의 군영이 가까워질수록 날씨는 더 사납게 변해 갔다.

그쳤던 눈발이 다시 날리기 시작했고 강풍까지 더해지면서 제대로 눈을 뜰 수조차 없었지만, 전방을 바라보는 연후의 눈빛은 지극히 무심할 뿐이었다.

파스스…….

연후의 두 눈을 향해 날아든 눈가루가 무형의 힘에 밀려 안개처럼 퍼져 나가기를 반복하고 있었다.

그러기를 얼마나 지났을까?

전방에 그림자 하나가 나타났다.

철우가 흐릿하게 웃었다.

"녀석입니다."

곽양은 검을 뽑았다.

챙!

“수상한 자가 접근하고 있습니다.”

“내 식솔이니 검을 거둬라.”

연후의 말이 끝나기가 무섭게 곽양이 수상하다 여겼던 그림자가 바로 앞에 떨어져 내렸다.

놀랍게도 그는 장패와 백도전의 앞에 나타났던 바로 그 청년이었다.

그가 연후를 향해 머리를 조아렸다.

“어서 오십시오, 주군.”

* * *

서북무림의 침공으로 시작된 전쟁.

케케묵은 구원(舊怨)으로부터 시작된 피비린내 나는 전쟁은 벌써 삼 년을 넘어 사 년째까지 이어지고 있었다.

북부군 총사 윤회(尹檜)는 지난 삼 년의 처절했던 전쟁을 회상하며 나지막이 숨을 골랐다.

“후우…….”

탁.

내려놓은 찻잔에서 물이 살짝 튀어 책상 위의 종이를 더럽히자 장패가 소맷자락으로 종이를 닦았다.

슥슥.

"어인 한숨이십니까?"

"한숨처럼 들렸느냐?"

"아닙니까?"

"그냥 가슴이 답답해서 내쉰 것이니라. 그나저나 정찰은 어찌 되었느냐?"

"그게 말입니다. 북쪽까지 올라갔는데……."

장패는 경계 지역에서 있었던 일을 설명했다. 그리고 정체불명의 청년과 관련한 내용에 이르자 윤회가 살짝 눈을 치뜨며 물었다.

"그런 일이 있었단 말이냐?"

"예. 그자의 말이 옳은 것 같아서 일단 그곳에 초소를 세우고 대원들 몇 명을 배치시켜 놓았습니다."

"아군에 대궁을 쓰는 고수는 없는 것으로 아는데……. 하면 그자가 대체 누구란 말인고."

"새롭게 합류를 한 사람일 수도 있으니 한번 알아보도록 하겠습니다. 그나저나 백야벌에서 온 사자들은 뭐라고 합니까?"

"대지존께서 휴전을 원하신다고 하는구나."

"종전이 아니라 휴전입니까?"

"그래. 일 년이라는 시간까지 정하셨다고 하는데…… 일단은 윗분들에게 여쭙고 답을 주겠다고 해 놓았다."

장패의 얼굴이 일그러졌다.

"뭐 그리 대단한 환갑이라고……."

"어허, 그 입 좀 조심하지 못할까."

"성질이 나는 걸 어쩝니까. 지금껏 가만히 방관하고 있다가 이제 와서 환갑이랍시고 휴전을 명하다니요."

"전력이 불리한 우리에게는 선물과도 같은 것이니 다행이라 여겨야지."

"그렇긴 하지만……그래도 성질이 나는 걸 어쩝니까. 우리가 무슨 장기판의 졸도 아니고 말입니다."

장패가 얼굴마저 붉히자 윤회는 빙그레 웃으며 찻잔을 입으로 가져갔다.

탁.

"들었느냐?"

"뭘 말입니까?"

"이공자께서 돌아오셨다는구나. 지금 이곳으로 오고 계신다는데, 늦어도 내일쯤 도착하실 것 같은데……."

말끝을 흐리는 윤회였다.

"총사께서는 공자께서 돌아오신 것이 기쁘지 않으십니까?"

"당연히 기뻐해야 한다만 이후에 벌어질 정쟁을 생각하면……. 물론 공자께서 권좌에 욕심이 없다거나 장 가주가 야망을 버린다면 크게 문제 될 건 없지만, 그게 아니라면…….”

윤회의 표정이 무겁게 굳어 갔다.

장패가 힘주어 말했다.

“이공자께서는 선주의 유일한 적자이십니다. 당연히 장 가주가 욕심을 버려야지요. 혼란과 분열을 막으려면 그렇게 해야 합니다.”

“권력욕이라는 게 그리 쉬운 게 아니니 걱정이지.”

그때였다.

“총사, 접니다.”

“들어오너라.”

막사 안으로 장패만큼이나 험악한 인상을 지닌 장한이 들어섰다.

윤회의 아들 윤관이었다.

장패와 더불어 북부군에서 쌍호(雙虎)로 불릴 만큼 용맹하고 사납기로 유명한 인물이었다.

“이공자께서 오셨습니다!”

“뭐라?”

윤회가 놀라서 두 눈을 부릅뜰 때, 장패가 벌떡 일어섰다.

“벌써 오셨단 말이오?”

"지금 막 정문을 넘어서셨소."

* * *

연후는 군영을 천천히 둘러보았다.

드넓은 산악 지대 곳곳을 채우고 있는 수많은 군막들과 목책, 그리고 주변을 오가는 무사들의 피폐한 모습에서 이곳이 전장임을 깨달을 수 있었다.

"총병력이 얼마나 되지?"

"삼만 정도 남았습니다."

"네 말은 그것보다 더 많았다는 것이군."

"……최초 이곳으로 온 병력은 십만이 조금 안 되는 수준이었습니다."

연후의 미간에 슬며시 주름이 잡혔다.

삼 년이라는 세월 동안에 칠만에 가까운 병력이 전사를 했다니.

곽양이 말을 이었다.

"그나마 윤 총사께서 뒤늦게 총사를 맡아 주셨으니 망정이지, 아니었으면 이곳은 벌써 적의 수중으로 넘어갔을 겁니다."

연후는 윤회를 떠올렸다.

그는 사마송과 더불어 자신을 무척이나 아껴 주었던 인물이었다.

'많이 늙었겠군.'

"저기 나오십니다."

연후는 곽양이 가리킨 곳으로 시선을 돌렸다.

윤회와 두 명의 호랑이처럼 생긴 장한이 황급히 뛰어오는 것이 보였다.

연후는 윤회의 얼굴에서 천천히 장패에게로 시선을 옮겼다.

'여전하군.'

장패 역시 잊을 수 없는 인물이었다.

나이는 비록 다섯 살 많았지만 주군의 아들이었던 자신을 친구처럼 대해 주었던 그였다.

고향을 떠날 때, 마지막까지 곁에 함께 있어 주었던 사람이기도 했다.

"정녕 공자십니까!"

"오랜만이오."

연후는 감격에 겨워 눈시울마저 붉히는 윤회를 내려다보며 흐릿한 미소를 머금었다.

"장패가 공자를 뵙습니다!"

"윤관이 공자를 뵙습니다!"

반가운 사람들을 보니 연후는 가슴속에 응어리졌던 회한이 조금은 녹아드는 것 같았다.

"여전히 멋지십니다. 공자."

훌쩍.

장패가 눈물을 훔치자 주변의 무사들이 얼굴이 휘둥그레졌다. 그들에게 장패는 호랑이보다 더 무서운 존재였다. 그런 그가 눈물을 흘리니 보면서도 믿기지 않았던 것이다.

"날이 차니 어서 막사로 드시지요."

"고맙소."

* * *

모두에게 해후의 시간은 격동, 그 자체였다.

하지만 정작 연후는 다른 이들이 의아해할 만큼 담담함을 넘어 무심했다.

이런저런 대화를 나누던 중에 백야벌의 사자에 관한 내용이 흘러나왔다.

연후의 눈빛이 처음으로 변화를 보였다.

"대지존이 휴전의 뜻을 전해 왔단 말이오?"

"예. 해서 일단 윗분들에게 여쭙고 답을 준다고 해 두었습니다만, 전황을 생각하면 받아들여야 할 것 같습니다. 다만 서북무림 쪽에서 강하게 반대하는 것으로 알고 있습니다."

"우리를 잡아먹을 자신이 있어서겠지."

"……그렇습니다."

연후는 이미 대략의 상황을 인지하고 있었다.

이 전쟁에서 북부무림이 서북무림을 이길 확률이 극히 적다는 것까지.

'북부무림의 주군으로서 제대로 된 입지를 다지려면 시간이 필요하다. 그렇다면 이 전쟁…… 반드시 휴전을 성사시켜야 한다.'

결심을 굳힌 연후는 차를 한 모금 마시고 말을 이었다.

"내가 사신단을 만나 보겠소."

"그러지 마십시오. 저들은 공자를 인정하지 않으려 들 것입니다. 오만하기 짝이 없는 저들에게 괜히 모욕을 당하실까 두렵습니다."

"총사의 말씀이 옳습니다. 윗분들도 휴전을 받아들일 것이니 그냥 지켜보시는 게 좋을 듯합니다."

"속하의 생각도 그러합니다."

모두가 윤회와 같은 뜻을 표했다.

연후는 모두의 얼굴에서 진심을 읽을 수 있었다.

'여긴…… 다르구나.'

가문에 입성했을 때, 많은 이들이 보였던 것과는 확연히 다른 분위기에 연후는 이곳으로 오기를 잘했다는 생각을 했다.

한편으로는 아버지를 따랐던 사람들이 최전선으로 내몰렸다는 사실에 마음이 편치 않았다.

"가문과 북부무림을 위해서라면 그깟 모욕쯤이 뭐가 대수겠소."

연후는 윤회의 앞에 한 척 길이의 검을 내놓았다.

철그럭.

보석으로 치장된 화려한 보검이었다.

그것을 본 윤회와 장패등이 일제히 경악했다. 연후가 내놓은 보검은 주군의 권위를 의미하는 철혈가의 신물이었던 것이다.

"이것이 있으면 저들도 나를 인정하지 않겠소?"

"인정하다마다요. 한데 이걸 어떻게……."

윤회는 놀람으로 인해 말을 잇지 못했다.

보검은 선주 사후부터 장로원주 송겸이 보관하고 있었다.

송겸은 장천을 적극적으로 지지하는 인물로, 장천을 위해서라도 보검을 내줄 리가 없었다.

"원주가 흔쾌히 보검을 내주던가요?"

"이곳으로 오기 전에 그를 만났소. 자세한 건 나중에 말하기로 하고 당장은 사신단을 먼저 만나야겠소."

"괜찮으시겠습니까?"

연후는 묵묵히 고개를 끄덕였다.

윤회가 힘주어 말을 이었다.

"알겠습니다. 하면 뜻대로 하시지요."

그때였다.

땡땡땡!

갑자기 종소리가 요란하게 울렸다.

뒤이어 막사 안으로 장한 한 명이 다급하게 뛰어 들어왔다.

"남서쪽 경계 지역이 적의 공격을 받고 있습니다!"

"적 병력의 규모가 얼마나 되느냐!"

"최소 수만에 달한다고 합니다!"

윤회의 눈에서 불꽃이 일었다.

"이놈들이 선주의 장례가 끝나기를 기다렸구나."

좌중의 모두가 자리를 박차고 일어설 때, 연후는 남은 차를 마저 비웠다.

"공자, 아무래도 사신단은 추후에 만나셔야 할 것 같습니다."

"아니오. 예정대로 진행하고 남서쪽 병력에는 즉각 퇴각 명령을 내리도록 하시오."

"……공자, 어찌 쳐들어온 적을 두고 물러나라 할 수 있겠습니까."

"내게 생각이 있소. 하니 총사는 서둘러 퇴각 명령을 내리도록 하시오."

"……!"

윤회는 선뜻 움직이지 못했다. 그건 다른 이들도 마찬가지였다.

연후의 눈빛이 서늘하게 내려앉았다. 그의 손이 탁자 위의 보검을 만지작거렸다.

"군령이라 해야 명에 따를 것인가?"

막사 안으로 퍼져 나가는 지독한 냉기에 윤회의 얼굴이 딱딱하게 굳어졌다.

군령은 누구도 거역할 수 없는 것.

결국 윤회는 머리를 조아렸다.

"알겠습니다."

* * *

군영 한가운데에 거대한 막사가 있었다.

눈처럼 흰 백포를 걸친 무사들이 삼엄한 경계를 서고 있는 그곳에서 시끌벅적한 대화 소리와 함께 짙은 주향(酒香)이 흘러나왔다.

사신단의 막사였다.

연후는 윤회와 함께 그곳을 향했다.

"멈추시오!"

막사 주변의 백포인들이 그를 막아서자 윤회가 나섰다.

"사신단을 뵈러 왔네. 기별해 주시게."

"잠시 기다리시오."

백포인 하나가 막사 안으로 들어갔다. 그리고 일각쯤 지난 후에 한 사람과 함께 나왔다.

염소수염에 매서운 눈빛을 지는 중년인이었다.

그가 고압적인 태도로 연후와 윤회를 번갈아 응시하고는 입을 열었다.

"이 젊은이는 뉘시오?"

"선주의 적자이시니 예를 갖추시오."

"철혈가의 적자는 몇 해 전에 죽지 않았소. 한데 적자라니?"

"잠시 세가를 떠나셨던 이공자이시외다."

중년인이 연후를 직시했다.

거만하기 짝이 없는 행동이었지만 연후는 괘의치 않았다.

그때였다.

"모셔라."

"크흠. 들어가시지요."

연후는 못마땅한 기색을 노골적으로 드러내는 중년인을 지나 막사 안으로 들어갔다.

[총사는 밖에서 기다리는 게 좋겠소.]

"……!"

연후는 당혹스러워하는 윤회를 밖에 두고 홀로 막사 안으로 들어갔다.

* * *

윤회는 불안했다. 지금 이곳에 와 있는 사신단은 하나같이 닳고 닳은 능구렁이 같은 자들이었다.

'쉽게 상대할 수 있는 자들이 아닌데…….'

연후가 모욕을 당하는 것도 문제지만, 혹시라도 저들의 술수에 넘어가면 돌이킬 수 없는 파국을 맞을 수도 있었다.

과거 팔대가문의 몇 곳이 가문들이 사신단의 농간에 크

나큰 피해를 입은 적이 한두 번이 아니었다.

'함께 들어갔어야 했는데…….'

윤회는 고집을 부리지 않은 것을 후회하며 귀를 기울였다. 하지만 뭘 어떻게 했는지 대화 소리가 전혀 들리지 않았다.

시간은 점점 흘러갔다. 윤회에게는 억겁만큼이나 긴 시간이었다.

그러기를 얼마나 지났을까?

막사의 문이 좌우로 젖혀지며 연후가 모습을 드러냈다. 생각보다 담담한 표정에 윤회는 일단 안도하며 연후의 뒤를 따라나서는 사신단을 응시했다.

그 순간 윤회의 두 눈이 동그랗게 치떠졌다.

'대체 이게 어떻게 된 일이지? 저들이 왜…….'

살짝 숙인 고개와 가지런히 모은 두 손, 그리고 조심스럽게 짝이 없는 걸음걸이까지.

마치 황제를 대하는 환관의 모습이었다.

'저 오만한 자들이 어째서 저런 태도를…….'

윤회는 사신단의 믿기지 않는 모습에 이게 대체 무슨 일인가 싶었다.

"바로 전장으로 가야 하니 말을 준비해 주시오."

"알겠습니다."

윤회는 자초지종은 나중에 묻기로 하고 서둘러 말을 준비했다.

잠시 후, 연후와 사신단, 그리고 윤회는 서북무림이 공격을 개시했다는 전장으로 향했다.

철우와 곽양, 장패, 그리고 사신단의 호위 병력도 함께했다.

두두두!

연후는 선두에서 말을 몰았다.

바로 뒤를 따라는 윤회의 머릿속은 여전히 의문투성이였다.

그렇게 얼마를 달렸을까?

거친 산악 지대가 시작되었다.

"잠시 멈춘다."

연후의 한마디에 모두가 말의 고삐를 당겼다.

"혹시 지름길은 없나?"

장패가 대답했다.

"저 산을 넘어가면 훨씬 더 빨리 갈 수 있지만, 그러자면 도보로 이동을 해야 합니다."

그 말에 연후는 바로 말에서 내렸다.

"도보로 이동한다."

그러자 사신단도 즉각 말에서 내렸다. 그 모습을 본 호위무사 하나가 이해할 수 없다는 투로 외쳤다.

"눈 덮인 산을 넘어가는 것은 매우 힘든 일입니다. 그냥 말을 타고 이동하시지요."

그때였다.

쐐애액!

퍽!

"으악!"

사신단의 호위무사가 단말마와 함께 말에서 추락했다. 그런 그의 머리에 화살 한 발이 박혀 있었다.

곽양과 장패가 재빨리 연후의 곁으로 다가섰다.

"적의 매복인 것 같습니다! 뒤로 물러서십시오!"

연후는 말없이 둘의 뒤로 물러섰다.

반면 철우는 죽은 무사의 머리에서 화살을 뽑아 이리저리 살피고는 연후를 돌아보며 말했다.

"서북무림이 사용하는 화살입니다."

쐐애액!

퍼퍽!

"크악!"

"으악!"

또다시 두 명의 호위무사가 비명과 함께 떨어졌다.

"사신들을 보호해라! 모두 밀집 대형으로 전환한다!"

사신단의 호위무사들이 일제히 말에서 내려 사신단을 에워쌌다.

그 와중에 또다시 어디선가 날아든 화살에 셋이 꼬꾸라졌다.

그때 한 호위무사가 내공을 담아 외쳤다.

"이분들은 대지존의 명을 받들고 백야벌에서 온 사신들이다! 서북무림은 당장 공격을 멈춰라!"

그때였다.

팟!

지척에서 눈가루가 치솟았다.

뒤이어 그 속에서 튀어나온 하얀 복면을 뒤집어쓴 괴인이 사신단을 덮쳤다.

그야말로 찰나의 순간에 벌어진 일이기에 누구도 그림자를 막지 못했다.

번쩍!

한 줄기 빛이 일어나 호위무사들에게 둘러싸인 사신단 한 명의 가슴을 꿰뚫었다.

"컥!"

거의 동시에 호위무사들이 그림자를 향해 달려들었다.

하지만 그들의 검이 채 닿기도 전에 그림자는 이십 장 밖으로 날아가 싸늘히 웃었다.

"후후후. 혹시나 했는데 사신단이 맞았군."

"네 이놈! 감히 백야벌의 사신을 공격하고도 무사할 수 있을 것 같으냐!"

동료를 잃은 사신단의 일원 하나가 노호성을 터트렸다.

"다 죽이면 문제 될 게 있나?"

연후가 나선 것은 이때였다.

"감히 백야벌의 사신을 공격하다니. 서북무림이 미쳐도 단단히 미쳤구나. 철우."

"예, 주군."

"놈을 잡아라."

"예."

팟!

눈을 차고 오른 철우가 한 마리 새처럼 괴인을 향해 날아갔다.

곧 둘의 격돌이 시작되었다.

까까강!

파파팟!

불꽃과 함께 눈가루가 폭풍처럼 흩날리며 모두의 시야를 가렸다. 상상을 초월하는 둘의 속도에 사신단과 호위무사들은 경악을 금치 못했다.

지켜보던 곽양이 나섰다.

"제가 돕겠습니다."

"넌 나를 지켜야지."

"……."

"자리를 지켜라, 곽양."

곽양이 뒤로 물러서자 연후는 사신단을 돌아보며 물었다.

"괜찮소?"

"다행히 저는 괜찮습니다만……."

사신단이 비통함에 말을 다 잇지 못했다.

연후는 한마디 더 했다.

"서북무림이 휴전을 강력하게 반대한다더니 아무래도 그것 때문에 사신단을 노린 것 같소."

으드득.

"오늘의 이 일을 뼈가 저리도록 후회하게 만들어 줄 것입니다."

꽈광!

폭음에 가까운 굉음이 터졌다.

뒤이어 눈가루가 폭포수처럼 솟구쳐 오르며 모두의 이목을 사로잡았다.

파스스…….

철우가 떨어지는 눈가루를 헤치며 모습을 드러내었다.

"죄송합니다. 그만 놈을 놓쳤습니다."

"더 이상의 피해를 막았으면 되었다."

연후는 다시 사신단을 돌아봤다.

"다른 자들이 더 있을지 모르니 아무래도 군영으로 돌아가야 할 것 같소."

"아닙니다! 전장으로 가서 대지존의 뜻을 다시 한번 전하고 서북무림으로 하여금 휴전을 약속하도록 하겠습니다."

"내겐 휴전보다 대지존의 뜻을 받들고 온 사신단의 안위가 더 중요하오. 하니 이만 돌아갑시다."

"……이토록 저희들을 염려해 주시니 감히 몸 둘 바를 모르겠습니다. 이 은혜 열 배, 백 배로 보답하겠습니다. 공자!"

감격에 머리를 조아리는 사신단이었다.

윤회에게는 믿기지 않는 광경의 연속이었다. 저 감격해하는 모습이라니.

'대체 이게…….'

"총사, 돌아갑시다."

"예, 공자."

다시 말에 오른 모두는 죽은 자들을 내버려 둔 채 군영으로 말머리를 돌렸다.

휘이잉!

거센 바람이 연후의 전신을 할퀴고 지나갔다. 그리고 그 속에 장난기 가득한 전음이 담겨 있었다.

[제 연기가 괜찮았습니까?]

[너처럼 해맑은 눈빛을 한 살수가 또 있을까.]

[아…… 미처 그 부분은 생각하지 못했습니다. 그나저나 주군께서도 연기는 별로시던데요? 듣고 있자니 손발이 오그라들어 미치는 줄 알았습니다.]

[서백.]

[옙!]

[강에 가서 피 냄새를 지우고 오도록.]

[피 냄새라니요? 고작 화살 몇 발 날렸을 뿐인데요?]

[씻고 와. 씻는 도중에 내공을 사용한 흔적이 발견되면 알아서 해.]

[…….]

서백의 기운이 사라지자 연후는 손을 내려다보았다. 좁쌀보다도 더 큰 닭살이 아직까지 사라지지 않고 남아 있었다.

내겐 휴전보다 대지존의 뜻을 받들고 온 사신단의 안위

가 더 중요하오. 하니 이만 돌아갑시다.

'별걸 다 하네.'

* * *

서북무림이 대지존의 뜻을 받들고 온 사신단을 죽일 목적으로 살수를…… 後略.

꿈틀.

전서를 읽어 가던 청포인의 눈썹이 칼날처럼 휘어졌다.

"벽력가가 미친 모양이군."

"무슨 내용입니까?"

"읽어 봐."

청포인은 맞은편에 앉아 있는 백포인을 향해 수중의 전서를 내밀었다. 전서를 확인한 백포인이 기가 차다는 듯 실소를 머금었다.

"감히 대지존의 뜻을 거부하겠다는 것을 보면 이번 기회에 북부무림을 완전히 먹어 치우겠다는 속셈이군요."

"최근 몇 년 사이에 전력이 급상승했다더니 간덩이까

지 부어 버린 모양이야. 하긴, 그들에게 지금처럼 좋은 기회는 없겠지."

"어쩌실 겁니까?"

"어쩌긴. 벽력가를 찾아가 대지존의 뜻을 다시 한번 전해야지."

"알겠습니다. 하면 아이들을 준비시키겠습니다."

"서두를 거 없으니 마시던 술은 마저 비우고 간다."

"알겠습니다."

청포인은 삼매진화로 전서를 태워 버리고는 마시던 술잔을 마저 비웠다.

그의 이름은 철군악(鐵郡岳).

절대세력 백야벌의 암행사자(暗行使者) 중 일인으로, 그가 있는 곳은 북부무림과 서북무림의 전장에서 그리 멀지 않은 도시의 한 객잔이었다.

"그나저나 북부무림은 대지존의 뜻을 받아들였겠지요?"

"그들이야 만세를 부르고도 남을 일이지. 가뜩이나 전력이 압도적으로 열세인 데다 주군마저 세상을 뜨지 않았느냐."

"이번이야 대지존 덕분에 그냥 넘어간다 해도 얼마나 더 버틸 수 있겠습니까. 서북무림이 아니라 다른 곳에서도 북부무림을 노린다는 소문이 이미 파다하게 퍼졌습니다."

"그럴 테지. 어디든 북부무림을 병합할 수만 있다면 단숨에 팔대가문의 정상에 설 수 있을 테니까. 모르지. 대지존께서 갑자기 휴전을 명하신 것도 한 세력이 너무 강해지는 것을 막고자 하는 뜻일지도."

"아…… 그럴 수도 있겠군요."

그때였다.

밖에서 인기척이 흘러들었다.

"접니다."

"들어와."

쌍검을 어깨에 멘 젊은 무사가 들어왔다.

철군악이 그를 보며 물었다.

"어떻게 되었지?"

"소문이 사실이었습니다."

"하면 정말 혈옥(血獄)이 깨졌단 말이냐?"

"예. 몇 번에 걸쳐 확인을 했는데 사실이었습니다. 그것도 몇 개월 전에 깨졌다고 합니다."

꿈틀.

철군악의 미간에 굵은 주름이 잡혔다.

"천 년 동안 깨지지 않았던 혈옥이 깨지다니……. 대지존께서 실망이 크시겠구나."

"그러게 말입니다. 지금껏 그곳을 깨기 위해서 들인 시간과 돈이 얼만데……."

혈옥.

그곳은 단순한 옥이 아닌 천 년의 전설이 깃든 무림의 절대적인 금역(禁域)이자 신비였다.

혈옥에 든 자, 무적의 힘을 얻으리라.

혈옥의 입구에 새겨져 있는 이 한 줄의 글귀 때문에 천 년 동안 그곳에 도전했다가 돌아오지 못한 고수들의 수는 헤아릴 수 없을 만큼 많았다.

그중에는 천하제일을 다퉜던 절대고수들도 여럿 있었다.

신의 경지에 다다랐다는 백야벌의 대지존도 감히 도전에 나서기를 꺼려 할 만큼 그곳은 죽음의 공간이기도 했다.

한데 그곳이 깨졌다.

누군가에 의해서.

"목격자는?"

"사람들을 풀어 백방으로 알아보고 있습니다."

"뭐 하나라도 나오면 무조건 내게 보고해."

"알겠습니다."

"수고했으니 가서 뭐라도 좀 먹도록 해."

"감사합니다."

청년 무사가 돌아가자 철군악은 술잔을 거푸 비웠다. 그 모습을 물끄러미 쳐다보던 백포인이 조심스럽게 입을 열었다.

"이번 일만 해결되면 이만 올라가셔야죠. 너무 오랫동안 떠나 계셨습니다."

"왜? 나 때문에 너까지 출세에 지장이 있을까 봐 걱정이냐?"

"그런 게 아니라는 거 잘 아시잖습니까."

피식.

"내가 가고 싶다고 갈 수 있는 것도 아니잖아. 그리고 이젠 이런 생활이 좋아지려고도 하고. 눈치 볼 사람 없으니 얼마나 자유롭고 좋냐."

"진심이십니까?"

"반은 진심이다. 그나저나 철혈가의 이공자가 돌아왔다면 거기도 꽤 골치가 아파지겠군."

"뻔합니다. 차기 주군의 자리를 두고 얼마나 또 죽어나갈지……. 과연 철혈가가 북부무림의 주군가 자리를 지킬 수 있을까요?"

"이번만큼은 어려울 거다. 철혈가의 세력이 예전만 못해. 그에 반해 장가는 커져도 너무 커 버렸지. 이공자가 돌아왔다고는 하나 별수 있겠느냐. 세상을 깜짝 놀라게 할 능력이라도 지녔다면 모를까."

탁!

철군악이 술잔을 내려놓고 일어섰다.

"슬슬 가 볼까?"

3장

휴전 조약서

벽력가.

백야벌의 팔대가문의 한 곳이자, 서북무림의 주군가인 그곳의 하늘에도 폭설이 쏟아지고 있었다.

"눈 때문에 아이들이 고생 꽤나 하겠군."

창을 통해 떨어지는 눈발을 바라보며 중얼거리는 황포인의 입가에 흐릿한 미소가 떠올라 있었다.

위연광(位演廣).

당대 벽력가의 가주이자, 서북무림의 주군인 그의 얼굴은 세월을 훌쩍 뛰어넘어 사십대 초반 정도로밖에 보이지 않았다. 강대한 공력이 가져다준 선물이었다.

그는 찻잔을 내려놓으며 맞은편에 앉은 준수한 청년을

응시했다.

위천화(位泉和).

위연광의 아들이자 서북무림의 후계자이며, 백야벌에서도 주목하고 있는 천고의 기재였다.

장성했지만 여전히 눈에 넣어도 아프지 않을 아들을 응시하는 위연광의 눈빛은 한없이 따뜻하고 부드러웠다.

"수련은 잘되어 가고 있느냐?"

"예. 아버님께서 보살펴 주신 덕분에 나날이 성과가 확연해지고 있습니다. 이대로라면 머지않아 원하시는 단계로 올라설 것 같습니다."

"당연히 그래야지."

흡족한 웃음을 지어 보인 위연광은 찻잔을 들어 입으로 가져갔다.

탁.

웃음기는 찻잔을 내려놓는 순간에 싹 사라졌다.

"북부무림이 본 가의 발아래에 들어오는 그날, 지금까지 유지되던 무림의 균형이 무너지고 큰 혼란이 도래할 것이다. 그날을 대비해 네가 하루라도 빨리 더 성장을 해줘야만 한다. 그래야 이 아비가 마음 놓고 일을 추진할 수 있느니라. 알겠느냐?"

"명심하겠습니다, 아버님."

그때였다.

"주군, 접니다."

"들어오너라."

깔끔한 인상의 중년인이 문을 열고 들어섰다. 군사 양소(粱素)였다.

"백야벌에서 사람이 왔습니다."

"벌에서?"

"예. 직책을 물었으나 대답을 않는 것을 보면 아무래도 암행사자인 것 같습니다."

위연광의 미간에 슬며시 주름이 잡혔다.

"암행사자가 왜……."

"공무 중이라 핑계를 대고 제가 먼저 대화를 나눠 보면서 찾아온 목적을 알아보겠습니다."

"아니다. 내가 바로 만나 볼 것이다."

"굳이 그러실 이유가 없는 듯합니다만."

"어차피 만나야 할 사람이 아니냐."

위연광은 자리를 박차고 일어나 밖으로 향했다.

잠시 후, 그는 느긋하게 찻잔을 기울이고 있는 철군악을 발견하고는 슬며시 안광을 번뜩였다.

자신이 들어섰음에도 철군악이 쳐다보기는커녕 느긋하게 찻잔을 기울이는 태도가 거슬렸던 것이다.

그때였다. 철군악이 이제야 봤다는 표정으로 자리에서 일어나 포권을 취했다.

"암행사자 철군악이 가주를 뵙습니다."

"어서 오시오."

위연광은 철군악의 맞은편이 아닌 보다 위쪽의 상석에 앉았다. 자연스럽게 철군악을 내려다보는 위치였다.

군사 양소는 그 뒤에 시립했다.

"그래, 벌에서 어쩐 일로 본 가를 찾아 주셨소?"

철군악은 빙그레 웃으며 바로 본론을 꺼냈다.

"아직도 대지존의 뜻에 대한 답을 정하지 못했습니까?"

"지금껏 흉포한 북부무림의 손에 죽어 간 무사들이 수천이 넘는데 그에 대한 보상이 없이는 휴전은 절대 불가하오. 이미 그뜻을 사신단을 통해 전달했음을 알려 드리는 바이외다."

"아…… 그랬군요."

철군악은 처음 듣는 다는 투로 고개를 끄덕였다. 그러고는 미간을 슬며시 찡그리며 말을 이었다.

"하면 그에 대한 보상만 이루어진다면 휴전에 응하시겠습니까?"

"물론이오."

"하면 두 가문의 주군들끼리 대화를 나눌 수 있는 자리를 마련해 보도록 하겠습니다."

그 말에 위연광의 입가에 냉소가 걸렸다.

"그쪽에 주군이라 할 만한 자가 있기는 있소?"

"그거야 북부무림에서 알아서 할 바이니 제가 나서서 답을 한 사안은 아닌 것 같고…… 그나저나 해명을 좀 들어야겠습니다."

"해명이라니, 무슨 해명을 하라는 말이오?"

"하루 전에 대지존의 뜻을 전하러 북부무림을 찾은 사신단이 자객에게 암습을 당하는 일이 벌어졌습니다. 그로 인해 사신단의 일원 중 한 명과 호위무사 다수가 목숨을 잃었지요."

꿈틀.

"하면 우리가 암습을 했다는 말이오?"

"사신단이 전해 온 서신에 분명 그렇게 적혀 있었습니다."

"뭐라?"

그때 양소가 나섰다.

"음모입니다! 압도적으로 유리한 우리가 왜 사신단을 공격하겠습니까. 필시 이것은 북부무림 쪽에서 위기를 모면하려고 벌인 수작임에 틀림없습니다!"

철군악이 양소를 직시하며 말을 이었다.

"북부무림은 귀 측의 공격에 맞서지 않고 병력을 모두 철수시켰소. 대지존의 뜻에 이보다 확실한 답은 없을 것 같소만."

"……!"

양소의 낯빛이 굳어졌다.

북부무림이 병력을 철수시켰다는 것은 그로서도 금시초문이었다.

'지금껏 결사 항전을 했던 자들이 싸우지도 않고 병력을 철수시켰다니…….'

철군악은 다시 위연광을 직시했다.

"가주께서 내린 명령이 아닙니까?"

"답을 할 가치조차 없는 질문이오."

"좋습니다. 하지만 일단 사건은 벌어졌고, 사신단이 배후로 서북무림을 지목했으니 이에 대한 조사는 당연히 이루어져야 할 터."

철군악은 품속에서 하나의 패를 꺼내어 내밀었다.

"벌의 암행사자로서 형전으로의 출두를 요청하는 바입니다. 물론 가주께서 직접 출두를 해 주셔야겠습니다."

"……뭐라?"

"재판은 정확하게 한 달 뒤, 벌의 형전에서 시작하겠습니다. 불출석 시 그에 따를 불이익은 당연히 아시리라 믿고 이만 돌아가지요."

양소가 소리쳤다.

"이보십시오, 암행사자. 아무리 그래도 가주께 출두를 요청하다니요! 이런 부당한 처사가 가당키나 한 것입니까!"

"대지존의 뜻을 받든 사신이 죽었소. 이는 곧 대지존에 대한 중대한 도전이라고밖에 볼 수 없는 행위인데, 당연히 가주께서 출두하시어 진상을 밝혀 주셔야지 않겠소. 그리고 이건 대지존께서 인정하신 암행사자의 권한이니 팔대가문의 누구라 할지라도 무조건 따라야 할 거요. 그럼 이만."

철군악은 곧장 대전을 빠져나갔다.

그의 뒷모습을 바라보는 위연광의 표정은 의외로 담담했다. 하지만 그건 어디까지나 겉모습에 불과했다.

양소가 당혹감을 감추지 못했다.

파스스…….

위연광의 손끝에서 연기가 피어올랐다.

그의 속내를 대변하는 것이었다.

대전이 질식할 것만 같은 정적에 휩싸였다. 양소도 이 순간만큼은 아무 말도 못한 채 위연광을 바라볼 뿐이었다.

"군사."

"예, 주군."

"병력을 물려라."

"주군……! 이대로 조금만 더 밀어붙이면 북부무림을 완전히 무너뜨릴 수 있습니다!"

"아직도 대지존의 뜻을 모르겠느냐?"

"……."

"대지존이 휴전을 명한 것은 북부무림을 구하고자가 아닌, 우리 서북무림이 더욱더 강해지는 것을 막기 위함이다. 만약 여기서 뜻을 거스르면……."

위연광은 뒷말을 흐렸다.

차마 입 밖으로 꺼내자니 분통이 터져 화병이라도 얻을 것 같았다.

파스스…….

손끝에서 피어오르는 연기가 더 짙어졌다.

"기회는 얼마든지 있다. 하나 지금은 뿌리가 커서 가지를 칠 때까지 참아야 한다. 하니 명에 따르라."

* * *

"도대체 뭘 어떻게 하신 겁니까? 저 오만한 자들이 어째서 공자 앞에서 꼼짝을 못하는 것입니까?"

윤회는 속에 담고 있던 궁금한 것들을 토하듯 물어 댔다.

연후는 무심히 찻잔을 기울였다.

탁.

"내가 사람을 좀 다룰 줄 아오."

"사람도 사람 나름인데……."

"앞으로 나와 함께하려면 이 정도에 놀라선 안 될 거요. 어쩌면 천지가 개벽을 할 수도 있으니까."

오만한 말이었다.

하지만 윤회의 눈에는 조금도 불편하게 들리지 않았다. 오히려 자신감 넘치는 말로 들려 가슴이 벅찼다.

'호랑이가 되어 돌아오셨다. 아니, 그 이상이시다.'

"총사."

"예, 공자."

"서북무림에서 사신이 올 수도 있으니 술상을 좀 준비해 두도록 하시오."

"어찌 확신하시는지요?"

"그냥 직감이오."

"……."

그때였다.

"곽양입니다."

"들어와."

곽양이 막사 안으로 들어왔다. 한데 표정이 상당히 놀란 것처럼 보였다.

"서북무림에서 사신이 왔습니다."

윤회의 눈이 더없이 커지는 순간이었다.

* * *

연후는 서북무림의 사신을 조용히 바라봤다.

뜻밖에도 서북무림의 사신은 군사 양소였다.

지금 양소는 매우 놀란 상태였다.

연후와 윤회가 함께 들어설 때, 연후를 호위무사쯤으로 생각했었다.

그런데 그가 상석에 앉고 윤회가 그 뒤에 시립을 하는 것이 아닌가.

윤회가 말했다.

"본 북부무림의 주군이 되실 분이오. 먼저 자신을 밝혀 예를 갖추시오."

"……!"

북부무림의 주군이 될 사람이라니.

커진 양소의 눈동자가 그의 속내를 정확하게 알려 주고 있었다.

그때 연후가 한마디 했다.

"여기까지 와서 건방을 떨 텐가?"

"……벽력가의 가신이자, 서북무림의 군사를 맡고 있는 양소라고 하오."

"오랫동안 쳐다보고 있을 사이는 아니니 바로 본론으로 들어가지."

"그 전에 뉘신 지부터 알아야겠소."

"주군 대행이라 하면 되겠군."

"상호 간에 예는 지키는 게 좋지 않겠소. 대하는 태도와 말투를 보다 정중히 갖춰 주시오."

"뭘 착각하는 것 같은데…… 난 지금 많이 참고 있어. 아니, 고민이라 해야 옳겠군. 너의 목을 베어 말 꼬리에 묶어서 돌려보낼지를 두고 말이야."

"사신의 목을 베는 것은……."

"닥치고 본론이나 말해."

실룩.

양소의 얼굴 근육이 가늘게 떨렸다. 연후가 두려워서가 아닌 무례한 태도에 심사가 뒤틀린 것이다.

"철우."

"예, 주군."

"저자가 한 마디만 더 쓸데없는 소리를 늘어놓으면 바로 목을 베도 좋다."

"알겠습니다."

딸깍.

연후의 뒤에 서 있는 철우가 검의 살짝 밀어 올렸다. 이쯤 되니 제아무리 양소라도 기가 눌리지 않을 수 없었다.

그는 품속에서 연통을 꺼내어 그 안에 들어 있던 종이를 꺼내어 펼쳤다.

"그게 뭐지?"

"휴전 조약서요. 읽어 보고 결정을 내려 주시오."

팔랑.

종이가 저절로 날아올라 연후의 손에 쥐였다.

놀라운 수준의 격공섭물(隔空攝物)이었지만 이 정도에 놀랄 양소가 아니었다. 이 정도 수준의 고수들은 벽력가에도 널리고 널렸다.

다만 더더욱 연후의 정체가 궁금해졌다.

'누구지? 누군데 감히 북부무림이 주군이 될 거라 하는 거지?'

그리고 뒤늦게 양소는 깨달았다. 연후의 얼굴과 전체적인 분위기가 북부무림의 선주 이염과 흡사하다는 것을.

'대공자는 몇 해 전에 죽었다. 하면 오래전에 쫓겨났다는 이공자…….'

"마지막 조항이 마음에 들지 않아."

연후의 목소리에 양소는 잡념을 떨치고 바로 입을 열었다.

"이곳은 오래전부터 어느 쪽에도 속하지 않은 지역이었소. 당연히 휴전이 성립되면 양측 모두 병력을 빼야 하지 않겠소."

마지막 조항은 북부무림의 군영이 위치하고 있는 산악지대에서 물러나야 한다는 내용이었다.

팟.

연후가 던진 종이가 화살처럼 날아가 양소의 바로 앞 탁자에 꽂혔다.

퍽.

파르르…….

흔들리는 종이의 끝을 내려다보는 양소의 눈빛도 흔들렸다.

"가서 너희 주군에게 전해. 먼저 전쟁을 일으킨 쪽은 서북무림이니 이곳은 그동안 희생된 무사들의 대가로 우리가 가지겠다고. 그게 싫으면 휴전은 없는 것으로 하겠다는 말도 잊지 말도록."

"우리가 당신들이 두려워 휴전을 청하는 것이라 생각

하시오?"

"곧 두려워하게 될 거야."

* * *

다음 날.

서북무림의 사신이 다시 군영을 찾아왔다.

이번에는 양소가 아닌 다른 자였다.

그가 연후에게 위연광의 친서를 전했고, 친서에는 조건을 받아들이겠다는 내용이 적혀 있었다.

견자(犭子)의 귀환을 축하하며.

친서의 마지막을 장식한 이 글귀에 연후는 차갑게 웃었다. 그는 친서를 가지고 온 사신의 목을 베어 말꼬리에 묶어 돌려보냈다.

조롱을 담은 답신과 함께.

* * *

철혈가에서 서쪽으로 오십 리 떨어진 곳.

화려하기 그지없는 거대한 전각이 숲을 뚫고 우뚝 솟아 있었다.

장가(長家).

이제는 명실상부 북부무림 최고의 가문으로 올라선 그곳의 정문으로 화려한 육두마차 한 대와 수십 명의 무사들이 달려오고 있었다.

두두두!

가주 장천을 비롯한 장가의 모두가 정문으로 나와 달려오는 마차를 응시했다.

잠시 후, 마차가 멈추고 그 안에서 화려한 궁장의에 절세의 미모를 자랑하는 중년의 미부(美婦)가 모습을 드러냈다.

"어서 오십시오, 누님."

"대부인을 뵙습니다!"

늘어선 모두가 미부를 향해 머리를 조아렸다.

장영(長英).

선주 이염의 후처이자 연후의 계모이며, 막후에서 철혈가를 조종하는 실세의 등장이었다.

냉기가 감도는 눈빛으로 모두를 쓸어 보던 장영이 한순간 미소를 머금은 것은 조카 장소의 얼굴에 이르렀을 때였다.

"갈수록 헌앙해지는구나."

"감사합니다."

"필요한 건 없느냐?"

"아닙니다. 과분한 사랑에 충분히 감사하고 있습니다."

"그래. 하루도 게을리하지 말고 열심히 해야 한다."

"명심하겠습니다."

장영은 다시 장천을 응시했다.

"얘기 좀 해."

"거처로 모시겠습니다."

잠시 후, 두 사람은 장천의 거처에서 마주 앉았다. 앉기가 무섭게 장영이 입을 열었다.

"벌에서 초청장이 왔다. 곧 열릴 대지존의 환갑연에 참석을 해 달라고 말이다."

"인원을 특정했습니까?"

"그건 아닌데……."

장영이 말끝을 흐리며 미간을 찡그렸다.

장천이 흐릿한 미소를 머금으며 말을 이었다.

"누가 가야 할지, 그것이 걱정이십니까?"

"이전이었다면 마땅히 네가 가야 했다. 하지만 그 아이가 돌아왔으니……."

"그냥 이공자를 보내십시오."

"어찌 그리 쉽게 말하는 게야. 벌과 다른 가문에서 그 아이를 북부무림의 주군으로 인정하기라도 하면 어쩌려고 그래."

"그럴 일은 없을 것입니다. 그리고 저 또한 갈 것이니 마음 놓으십시오."

불안해하는 장영에 반해 장천은 한없이 느긋했다.

그가 바로 말을 이었다.

"스스로 부족함을 깨닫게 하는 것도 중요하지만, 벌과 팔대가문이 그의 무능을 깨닫게 해 주는 것도 매우 중요합니다. 어쩌면 후자가 더 중요할 것입니다. 그래야 훗날 제가 주군의 자리에 오를 때 벌과 팔대가문이 이견 없이 인정을 해 줄 테니까요. 그런 의미에서 보자면……."

장천이 말끝을 흐리며 의미심장한 미소를 머금었다. 뒷말은 장영이 했다.

"대지존의 환갑연이 오히려 좋은 기회가 되겠구나."

"바로 그렇습니다."

장영의 얼굴이 비로소 풀어지자 장천은 빙그레 웃었다.

"그래도 선주의 피를 이어받았으니 조심, 또 조심하겠습니다. 하니 저를 믿고 그만 염려 놓으십시오."

"괘씸한 놈. 아무리 그래도 돌아왔으면 내게 인사부터

했어야지."

"어디서 무엇을 하며 살았는지는 모르나, 귀동냥을 통해 들은 것이 많을 테지요. 그중에는 누님과 본 가에 대한 부정적인 것들도 꽤 있을 테니 감정이 좋을 리는 없을 겁니다. 그러니 차후 만나게 되더라도 따뜻하게 대하는 척이라도 해 주십시오. 다른 이들의 이목을 생각해서라도 말입니다."

"어쨌든 매사를 신중하게 처리하도록 해. 가문의 모든 것이 네게 달려 있다는 것을 명심하고."

"예, 그리하겠습니다."

그때였다.

"가주, 접니다."

밖에서 장회의 목소리가 흘러들었다.

"들어오너라."

장회가 문을 열고 들어왔다. 한데 그 표정이 꽤 놀란 듯 보였다.

"서북무림이…… 휴전을 받아들였다고 합니다. 그것도 서북부 산악 지대까지 우리에게 내주면서 말입니다."

"뭐라?"

장천의 얼굴에서 느긋함이 사라졌다. 그는 미간을 찡그리며 중얼거렸다.

"위연광이 어째서 휴전을 받아들인 거지?"

"이공자가 사신단과 함께 전장으로 가는 길에 서북무림의 자객이 나타나 몇 명이 죽는 일이 발생했다고 합니다."

"그게 사실이냐?"

"예. 전장에 나가 있는 본 가의 아이들이 직접 전해 온 것이니 사실임에 틀림없습니다."

이 부분에서 장천은 이상한 느낌이 강하게 들었다.

'바보가 아닌 이상에야 자신들이 유리한 국면에 그런 짓을 벌였을 리가 없다. 그렇다면 계략을 꾸민 이가 있다는 건데…….'

자연스럽게 떠오르는 사람은 총사 윤회였다.

자신이 주군의 자리에 오르려면 반드시 무너뜨리거나 회유를 해야 할 인물이 바로 그였다.

'휴전이라니……. 윤회, 그자가 제법 큰 건을 올렸구나.'

장천은 결코 휴전이 반갑지 않았다.

휴전을 해도 자신이 나섰을 때 했어야 했다. 그것도 아주 극적인 상황에서.

그럴 목적으로 장로원주 송겸에게 대지존의 휴전 요청과 관련한 답을 최대한 미뤄 달라고 요청까지 해 두었다.

그런데 덜커덕 휴전이 되어 버리다니.

그때 장영이 의아한 표정을 지었다.

"휴전이 되었다는데 가주의 표정을 보니 전혀 반가워하는 것 같지가 않구나."

"그럴 리가요. 자, 어서 연회장으로 가시지요! 오신다고 해서 특별히 좋아하시는 것들도 준비를 해 두었습니다."

* * *

휘이잉!

삭풍이 휘몰아치는 산의 정상.

윤회는 그곳에서 광활하게 펼쳐진 산 아래를 내려다보며 눈시울을 붉혔다.

장장 몇 년에 걸쳤던 피비린내 나는 전쟁. 그 와중에 죽어 간 북부무림의 수많은 무사들을 생각하니 회한이 사무쳤다.

숨을 거두기 직전까지 북부무림의 안위를 염려하던 선주 이염의 마지막 모습까지 떠오르자 윤회는 결국 눈물을 쏟았다.

장패는 그런 윤회의 뒷모습을 물끄러미 바라봤다.

그런 그의 두 눈도 이미 오래전부터 붉게 충혈이 되어 있었다.

꽈악.

어금니를 악무는 장패의 얼굴이 가는 경련에 휩싸였다. 하지만 기어코 흘러내리는 눈물은 어쩔 수가 없었다.

'빌어먹을. 다시는 울지 않기로 맹세를 했는데…….'

휘이잉!

삭풍에 휩쓸린 눈보라가 뜨거운 두 사내의 전신을 할퀴고 지나갔다. 그리고 그제야 윤회가 웅크렸던 몸을 일으켜 세웠다.

"패야."

"예, 총사."

"공자를 어찌 보았느냐?"

"진심을 원하십니까?"

"그래. 네 진심이 무엇인지 알고 싶구나."

꽈악.

장패가 어금니를 악물었다.

"감히 장담하건대…… 이 땅의 누구보다 위대한 주군이 되실 거라 믿습니다. 저 장패는 감히 그렇게 보았습니다. 하면 총사께서는 어찌 보셨는지요."

윤회는 즉답을 않았다.

하지만 그 시간이 오래가지는 않았다.

"나 역시 그렇게 보았다. 해서 선주께 다하지 못한 충성, 감히 공자께 다하려 한다. 아니, 이 시간 이후부터 주군이라 칭할 것이다."

"으흐흐."

장패의 뺨을 타고 잠시 그쳤던 눈물이 다시 흘러내렸다.

"멋지지 않습니까? 감히 누가 서북무림의 사신을 목 베어 말의 꼬리에 묶어 돌려보낼 수 있겠습니까. 저는 그때 확신했습니다. 이분이야말로 지금껏 우리가 기다렸던 진정한 주군이 되실 거라고 말입니다. 북부의 뜨거운 사내들을 가장 잘 이해하고 이끌어 주실 위대한 지도자가 되실 거라고 말입니다."

"사람 제대로 보셨네."

"……!"

난데없이 흘러든 목소리에 장패의 몸이 팽이처럼 돌아가며 수중의 대도를 늘어뜨렸다.

씨익.

서백이 하얀 치아를 드러낸 채 웃고 있었다.

'도대체 언제 여기까지…….'

흔들리는 장패의 눈빛.

그건 윤회도 마찬가지였다.

아무리 감정이 격해져서 집중력이 흐트러졌다고는 하나, 이 가까운 곳까지 다가올 동안 아무런 기척조차 느끼지 못했다니.

"주군께서 총사를 찾으십니다."

"무슨 일이라도 생겼소?"

"아뇨. 돌아가시기 전에 의논할 게 있다고 하십니다. 늦으면 저만 깨지니 얼른 내려가시죠."

"알겠소."

잠시 후, 세 사람은 군영을 향했다.

가는 길에 장패가 물었다.

"당신은 어쩌다가 공…… 주군의 휘하에 들게 되었소?"

"까불다가요."

"……."

"때가 되면 다 알게 될 겁니다. 지금은 저와 얼음덩어리 두 명뿐이지만, 곧 저 같은 인간들이 꽤 많이 몰려올 거거든요."

"주군에게 당신 같은 고수들이 더 있다는 말이오?"

"고수라고 해 주니 기분은 좋네요."

씨익.

"그것도 때가 되면 저절로 다 알게 될 테니 궁금해도 조금만 참으시죠. 제가 입이 싸서 말을 하다 보면 하지 말아야 할 것까지 해 버리는 바람에……. 그럼 먼저 내려 갑니다."

팡!

서백이 한 줄기 눈가루만 남긴 채 유령처럼 사라지자 윤회와 장패의 얼굴이 다시 한번 불신으로 굳어졌다.

다시 봐도 상식적으로 말이 되지 않는 신기한 경공술이었던 까닭이다.

* * *

윤회는 곧장 연후의 막사를 찾았다.

들어서니 연후와 사신단 중 한 명이 찻잔을 기울이고 있었다.

윤회는 연후에게 연신 공손한 태도로 일관하는 사신의 태도가 여전히 어색했다.

"찾으셨는지요."

"떠날 준비를 서둘러 주시오."

"세가로 돌아가시겠습니까?"

"아니. 벌의 총단으로 바로 가야 할 것 같소."

"벌의…… 총단으로 말입니까?"

눈이 휘둥그레지는 윤회를 향해 사신이 웃으며 말했다.

"대지존께서 팔대가문에 초청장을 보내셨소. 북부무림은 아마도 장로원주 송겸과 장가의 가주 장천에게 전해졌을 것이나, 이제는 마땅히 공자께서 대표로 가셔야지 않겠소."

"……!"

윤회는 가슴이 떨렸다.

다른 사람도 아닌 대지존의 뜻을 받들고 온 사신이 연후를 북부무림의 주군으로 인정하고 있었다.

그때, 연후와 윤회의 시선이 허공을 격하고 얽혀들었다.

"총사도 같이 가십시다."

"제가…… 말입니까?"

"중요한 자리에 참석을 하는데 믿고 의지할 만한 사람 한 명쯤은 있어야지 않겠소."

믿고 의지할 만한 사람.

이 말에 윤회는 눈시울이 붉어지는 것을 감추기 위해 머리를 조아렸다.

"알겠습니다. 하면 속히 떠날 준비를 하도록 하겠습니다."

서둘러 막사를 나서는 윤회.

그런 그의 뒷모습을 물끄러미 바라보던 연후는 찻잔을

들어 입으로 가져갔다.

일렁이는 차에 반사된 그의 두 눈이 기이한 빛을 머금어 갔다.

탁.

'백야벌이라……. 생각보다 빨리 가게 되는군.'

* * *

장로원주 송겸에게 연후의 서신이 도착했다.

서신을 읽어 가는 송겸은 어이가 없어 실소마저 머금었다.

총관 홍명이 물었다.

"무슨 내용인데 그러십니까?"

"철혈가와 북부무림을 대표하여 대지존의 연회에 참석하고 오겠다는군."

"이공자가 말입니까?"

"공자가 아니면 누가 이런 서신을 노부에게 보내겠나."

홍명이 대번에 쌍심지를 켰다.

"이자가 정말 보자 보자 하니 하늘 높은 줄 모르고 설칩니다. 그러게 왜 보검을 내주셨습니까!"

"장 가주가 원한 일이니 흥분을 가라앉히게. 그에게 다 생각해 놓은 것이 있겠지."

"원주님이나 장 가주나 참 느긋하기도 하십니다. 이러다가 자칫 모든 것이 물거품이 되면 어쩌시려고……."

"물거품이라니. 그 말은 꼭 노부가 권좌를 노린다는 것처럼 들리는군."

"……."

"다시 한번 확실하게 해 두겠는데…… 노부가 장 가주를 지지한 것은 현시점에서 그 말고 마땅한 인물이 없어서였네. 하지만 만약 장 가주보다 더 뛰어난 능력을 지닌 사람이 있다면 당연히 지지 대상은 바뀌어야지 않겠나. 북부무림을 위해서라도 말이야."

"하지만 장 가주와 이미 전반적인 부분에 대해 약조를 다 해 두셨지 않습니까?"

"그건 그가 주군의 자리에 올랐을 때 이행하면 되는 것이니 군이 지금부터 얽매일 필요는 없지."

"원주님!"

"그만하게."

홍명의 성화에도 송겸은 느긋하게 찻잔을 기울였다. 그러면서 눈살을 슬며시 찌푸리며 중얼거리듯 말했다.

"그래도 미리미리 준비를 해 둬야겠지."

"무슨 준비를……."

“이공자의 행적을 알아 봐야겠네. 도대체 십오 년 동안 어디서 무슨 삶을 어떻게 살았는지 정도는 확인을 해 봐야지 않겠나.”

탁!

“개방에 도움을 청하게. 그들이라면 충분히 이공자의 과거를 알아낼 수 있을 것이네. 기왕이면 주변 사람들까지 파악을 해 두는 것이 좋겠지.”

“거지놈들을 움직이려면 막대한 돈이 들어갈 텐데…….”

말을 끝낸 송겸이 서랍을 열어 큼지막한 전낭을 꺼냈다.

철그럭.

“이 정도 돈이면 충분할 걸세. 자네가 직접 개방을 찾아가 요청을 하도록 하게.”

“알겠습니다.”

홍명이 황급히 자리를 뜨자 송겸은 의자에 몸을 깊숙이 묻으며 찻잔을 입으로 가져갔다.

“길들여지지 않은 호랑이 새끼쯤으로 봤건만…….”

알 수 없는 말을 중얼거리는 송겸의 입가에 의미 모를 미소가 진하게 번져 나갔다.

그때, 밖에서 인기척과 함께 조금 전에 나갔던 홍명이 돌아왔다.

"이상한 자가 원주를 찾습니다."

"이상한 자라니?"

"그게…… 이공자가 보냈다면서 이것을 전해 드리라 했습니다."

홍명이 연통을 내밀었다.

송겸은 연통 속에 돌돌 말려 있던 서신을 꺼내어 펼쳤다.

하나 잊은 게 있어 다시 서신을 보내…….

中略…….

내게 아주 중요한 친구이니 별의 방문을 끝내고 돌아갈 때까지 대접에 소홀함이 없도록 해 주시오.

연후의 또 다른 서신이었다.

'노부가 편한 건지, 아니면 만만해 보인 건지…….'

거의 명령조에 가까운 글귀에 송겸은 쓴웃음을 지으며 홍명을 돌아봤다.

"데려오게."

"알겠습니다."

잠시 후, 홍명이 한 청년과 함께 돌아왔다.

송겸은 청년의 전신을 날카롭게 훑었다.

이십대 중반쯤 되었을까?

허약하다 싶을 정도로 창백한 안색에, 훅 불면 날아갈 것처럼 호리호리한 몸매는 무인이 아니라 학사에 가까워 보였다.

"송영이라고 합니다."

"어디 송씨인가?"

"하남을 본관으로 두고 있습니다."

"몇 대손인가?"

"외공파 22대손입니다."

"외공파 22대손?"

"뭘 그리 놀라시는지요?"

송겸은 송영의 질문에 답을 하지 않고 멀뚱히 서 있는 홍명을 돌아봤다.

"자네는 어서 가 보지 않고 뭘하는 겐가?"

"아, 예. 하면 다녀오겠습니다."

홍명이 나가자 송겸은 다시 송영을 응시했다. 그런데 그 눈빛이 조금 전과는 확연히 달라져 있었다.

아주 부드러워졌다고나 할까?

"피곤하지 않은가?"

"안 그래도 거의 며칠을 쉬지 않고 걸어왔더니 많이 피곤합니다. 해서 좀 쉬었으면 하는데……."

"밖에 누구 없느냐?"

송겸의 부름에 무사 한 명이 들어왔다.

"이 사람에게 쉴 방을 내주고 먹을 것과 마실 것도 부족함이 없도록 잘 대접토록 하거라."

"예."

"대화는 나중에 또 나누면 되니 어서 따라가게."

송영이 일어나 머리를 조아렸다.

"이렇게 환대해 주시니 몸 둘 바를 모르겠습니다. 하면 이만 물러가 보도록 하겠습니다."

돌아서는 송영의 입가에 흐릿한 미소가 순간적으로 떠올랐다가 사라졌다.

* * *

장로원주 송겸은 병적으로 혈연에 집착하는 성향이 있음. 이십 년 전에 역모 사건이 발생하였는데, 그때 하남 송씨 외공파의 대부분이 목숨을 잃는 바람에 더 그렇게 된 것…… 後略.

연후는 장로원주 송겸과 관련한 내용을 떠올렸다.

귀향을 할 때 그는 철혈가의 인물들에 대한 조사를 어

느 정도 해 둔 상태였다. 완벽하다 할 순 없었지만 차후 나아가야 할 행보를 위한 최소한의 준비였다.

세가로 돌아온 이후 주요 인물들과 그렇게 많이 마주친 것은 아니지만 조사한 바에 따라 철저히 맞춤식으로 대했고, 다행히 지금껏 제대로 먹히고 있었다.

'지금쯤 도착했겠군.'

연후는 송영을 떠올리고는 시선을 들어 전방을 응시했다.

군영을 떠나 백야벌로 향한 지 벌써 이틀이 지났다. 워낙에 광활한 산악 지대를 빠져나가야 했던 까닭에 아직도 보이는 것이라고는 눈 덮인 숲이 전부였다.

하지만 연후는 그냥 숲을 지나치지 않았다.

윤회가 다가왔다.

"무엇을 그리 세심히 살피십니까?"

"이곳을 잘 기억해 두시오."

"알겠습니다. 한데 이곳은 왜 기억하라하시는지요."

"훗날 서북무림을 치러 갈 때, 이곳을 거점으로 활용할 생각이오. 적은 올라오기 힘들지만 우린 쉽게 내려갈 수 있소. 게다가 제법 넉넉한 물줄기까지 있으니 이보다 더 좋은 곳은 없을 것 같소."

"……그러한 것까지 생각하고 계셨습니까?"

윤회의 목소리가 가늘게 떨렸다.

먼저 공격을 하겠다는 생각은 가져 보지도 못했었다. 지금껏 그저 지키기에 급급했으니까.

"아무래도 오늘 밤은 산중에서 보내야 할 것 같소."

"알겠습니다. 바로 준비를 하도록 하겠습니다."

모두가 군영에서 가져온 천막으로 잠자리를 준비했다. 연후가 대동한 사람은 윤회를 비롯해 철우와 서백이 전부였다.

장패와 곽양은 군영에 남았다.

혹시 모를 서북무림의 변심에 대비해야 했기 때문인데, 대부분의 잡일은 사신단의 호위무사들이 담당했다.

연후가 나서지 않아도 사신단이 알아서 그들에게 사소한 것들을 맡겨 버린 것이다.

잠시 후, 연후는 홀로 막사에 누워 향후 행보를 재점검하는 시간을 가졌다.

'북부무림을 장악하는 것에 그쳐선 안 된다. 다른 팔대가문과 주군가의 자리를 호시탐탐 노리는 북부무림의 수많은 세력들로부터 주군가의 자리를 지키려면 지금보다 훨씬 더 강력한 세력을 갖춰야 한다.'

그러자며 어떻게 해야 할까.

먼저 자신이 주군이 되고, 이후에 쇠락한 철혈가를 재

건하는 것이 우선이었다.

북부무림의 지존이 되는 것은 이후의 문제였다. 주군가의 자리를 빼앗기면 아무것도 할 수 없게 되니까.

선주께서는 지나치게 온건하다는 평을 많이 들었습니다. 그런 이유로 재위 기간에 숱한 도전자들을 맞아 싸우셔야 했는데…… 병을 얻으신 것도 누적된 내상이 원인이라고 의원이 말했습니다.

곽양의 목소리가 머릿속에서 울렸다.

귀환을 했을 때, 그를 통해 가문에서 일어난 많은 것들을 들었다.

그때 곽양은 이렇게 말을 했었다. 덧붙여 아버지에게 적이 많을 수밖에 없었던 이유까지.

'소자는 누구의 도전도 허락하지 않을 생각입니다. 도전한다면 그게 누구든 목숨을 취해 본보기로 삼을 것입니다. 아버님도 그랬어야 했습니다. 그랬더라면 형도 죽지 않았을 겁니다.'

"주군."

밖에서 흘러든 윤회의 목소리가 상념을 깨웠다. 어제부터 윤회는 연후를 주군이라 칭하기 시작했다.

"들어오시오."

윤회가 들어섰다.

연후는 그의 손에 들려 있는 술병을 응시하고는 자세를 고쳐 바로 앉았다.

"사신이 공자께 드리라며 제법 귀한 술을 내주었습니다."

"같이 한잔하겠소?"

"아닙니다. 앞으로 갈 길이 한창이니 간단하게 한 잔 들이켜시고 푹 주무십시오."

연후는 자신의 천막으로 돌아가는 윤회의 뒷모습을 잠시 바라보고는 술병의 마개를 열었다.

향부터가 확연히 달랐다.

"와서 한잔해."

말이 떨어지기가 무섭게 철우와 서백이 유령처럼 모습을 드러냈다.

둘이 있을 곳은 막사가 아닌 어둠 속이었다.

벌컥벌컥!

연후는 병째 두 모금 들이켜고는 철우에게 술병을 건넸다.

"감사합니다."

"나보다는 총사와 사신단의 주변을 잘 경계하도록 해."

"알겠습니다."

"옙!"

* * *

연후에게 언제부턴가 불치병이 생겼다.

불면증(不眠症), 바로 그것이었다.

눈을 감으면 자신의 손에 죽어 간 자들이 나타나 저주를 퍼붓거나 피눈물을 흘리며 울부짖는 환영, 환청에 시달리곤 했다.

오늘도 마찬가지였다.

물론 운기조식을 통해 피로를 몰아내는 방법도 있었지만 연후는 그것을 극도로 꺼려 했다. 지옥 같은 삶을 살아오면서 한 올의 힘조차 아끼는 버릇이 뼛속까지 배어 있던 까닭이었다.

해서 아주 특별한 경우가 아니면 운기조식은 절대 취하지 않았다.

휘이잉!

펄럭! 펄럭!

때마침 불어온 강풍이 천막을 마구 흔들어 댔다. 그 순간 연후의 두 눈이 기광을 번뜩였다.

천천히 몸을 일으킨 연후는 옆에 놓아 두었던 검을 조용히 챙겼다.

그때였다.

[수상한 놈들이 접근하고 있습니다.]

철우의 전음이 흘러들었다.

[나는 됐으니 총사와 사신단 쪽으로 가 봐.]

[주군.]

[됐다니까.]

[……알겠습니다.]

연후는 천막의 입구를 살짝 열어젖혔다.

들이친 바람이 그의 머리카락을 사납게 쓸고 지나갈 때, 맞은편 숲에서 그림자들이 아른거렸다.

'꽤 많이도 몰려왔군.'

거센 바람이 숲을 흔들어 대는 바람에 숫자까지 파악한다는 것은 불가능한 일이었다.

하지만 연후는 접근하는 자들의 숫자를 정확하게 감지했다. 방향까지.

가장 먼저 떠오른 인물은 장가의 가주 장천이었다.

그다음은 아직 본 적이 없는 벽력가의 가주 위연광이었다.

피식.

'화가 많이 난 모양이군.'

4장

살수 뇌검

살수 뇌검

서북무림의 주군이자, 벽력가의 가주 위연광.

그는 횟가루를 뒤집어쓴 하나의 수급을 응시하며 당혹감과 분노가 뒤섞인 눈빛을 발산했다.

"감히 애송이 따위가……."

수급의 주인은 휴전을 받아들인다는 그의 뜻을 전하고자 북부무림의 군영을 찾아갔던 사신이었다.

사신의 목을 벤다는 것은 있을 수 없는 일.

하지만 위연광을 더 분노하게 만든 것은 시신의 이마에 쓰여 있는 한 줄의 글귀였다.

탐욕스러운 여우 따위가 감히 누구더러 견자라 칭하는가.

아직 본 적 없는 연후의 얼굴이 위연광의 머릿속에 형체 없는 유령처럼 떠올랐다.

연후의 얼굴은 곧 갈기갈기 찢겨 사라졌다.

"장가 위주로 재편된 권력 구도에서 존재감을 내세우기 위해 강한 척을 하려는 모양인데……."

생각할수록 어이가 없어 실소마저 머금는 위연광이었다.

그런 그의 뒤에 대공자 위천화가 서 있었다. 수급을 응시하는 그의 두 눈은 분노와 당혹으로 얼룩져 있었다.

친구의 수급이었다.

비록 주종의 관계였지만 어렸을 적부터 함께 자라다시피 했던 사이라 매우 막역했다.

그런 친구가 시신마저 훼손된 채로 돌아왔다.

"휴전을 철회할 명분으로 충분한 것 같습니다만."

위천화의 말에 위연광은 고개를 저었다.

"그건 아니 될 말이다. 암행사자로부터 출두 명령까지 받은 마당에 더 이상 벌에 저항하는 모습을 보이면 가문과 서북무림에 좋을 건 없다. 물론 그렇다고 이 애송이 놈을 봐줄 순 없지."

"놈의 목을 베어 철혈가의 정문에 걸어 두어야 합니다. 그 정도는 해야 저 친구가 한을 풀고 떠날 수 있을 것입니다."

위천화의 목소리에서 살기가 묻어났다.

위연광이 그런 위천화를 향해 말을 이었다.

"살문의 문주에게 아비의 뜻을 전해라. 돌아온 철혈가 이공자의 목을 간절히 원한다고. 돈은 얼마가 들어도 상관하지 않겠다."

"……그쪽과 연락이 닿지 않고 있습니다."

"뭐라?"

"다른 일이 있어 접촉을 시도했었는데, 본 가와 살문을 잇던 연락책을 비롯해 누구와도 연락이 닿지 않고 있습니다. 해서 살문의 총단에 사람을 보내 두었으니 돌아올 때까지는 기다려 봐야 할 것 같습니다."

"며칠이나 걸릴 것 같으냐?"

"최소 보름은 더 걸릴 듯합니다."

탁!

위연광이 손으로 탁자를 내리쳤다.

"한 달까지 기다릴 순 없다. 하면 방법을 달리할 수밖에."

그가 다른 말을 꺼내려고 할 때였다.

"주군, 속하입니다."

"들어오너라."

날카로운 인상의 청년 하나가 안으로 들어섰다. 그를

본 위천화의 인상이 매섭게 변했다.

“살문의 총단을 찾아가라 했거늘 어째서 벌써 돌아온 것이냐.”

“그게…… 가던 도중에 살문의 살수 한 명과 접선할 수 있었습니다. 한데…… 열흘쯤 전에 정체불명의 고수 몇 명이 살문의 총단에 나타나 거의 궤멸 상태까지 만들어 놓고 문주 염굉을 끌고 사라졌다고 합니다.”

“뭐라?”

“뭣이!”

위연광 부자가 두 눈을 부릅떴다.

청년의 말이 이어졌다.

“더 놀라운 것은 고작 세 명에게 그 지경을 당했다는데, 특히 문주 염굉을 사로잡은 자의 무공과 악랄함은 상상을 초월하는 수준이었다고 합니다.”

파르르…….

위연광의 얼굴에 가는 경련이 일었다.

살문이 어떤 곳인가.

암중에서 강호를 공포에 떨게 만들었던 살수 집단이다. 게다가 문주 염굉은 팔대가문의 어떤 곳에 들어가도 상위에 들어갈 정도로 강력한 무력의 소유자였다.

그러했던 살문이 달랑 세 명에 의해 무너지다니. 그것

도 문주 염굉이 납치까지 당하는 말도 안 되는 일까지 당하면서.

"아버님, 아무래도 뭔가 이상한 것 같습니다. 살문의 총단은 세가 내에서도 극소수만이 아는 극비인데 그곳이 드러나다니요."

위연광은 말없이 눈빛을 가라앉혔다.

위천화의 말처럼 살문의 총단은 벽력가에서도 극소수만이 알고 있는 극비 중의 극비였다. 그런 곳이 드러났다면 둘 중 하나를 의심할 수밖에 없었다.

'내부에서 기밀이 새어 나간 것이 아니라면 살문이 우리 모르게 다른 곳과 일을 벌이다가 실수를 해서 총단의 위치가 드러난 것이라고밖에는 볼 수가 없는데…….'

무엇이든 뼈아픈 결과였다.

살문은 지금껏 벽력가를 위해 꽤 많은 일들을 해 줬으며, 벽력가가 주군가의 위치를 확고히 하는 데 단연코 일등공신이었다.

쾅!

'대체 어쩌다가 이런 일이…….'

연후의 조롱에 이어 살문의 궤멸까지.

감정이 격해진 위연광은 자신도 모르게 탁자를 강하게 내리쳤다.

탁자가 산산조각이 나며 먼지가 뿌옇게 피어올라 위연광의 얼굴과 수염을 노랗게 물들였다.

"천화."

"예, 아버님."

"애송이의 목은 뇌검에게 맡긴다."

"한낱 애송이에 불과한데 뇌검은 너무……."

위천화는 바로 말끝을 흐렸다. 위연광의 단호한 눈빛을 본 것이다.

"알겠습니다. 하면 바로 가서 뇌검에게 전하겠습니다."

* * *

휘이잉.

거센 바람 속에 섞인 흐릿한 기척들.

'장천은 이리 쉽게 움직일 자가 아니다. 그렇다면 벽력가에서 온 놈들이라고 봐야겠지.'

연후는 검을 무릎에 올려놓은 채 지그시 눈을 감았다. 천막이 거센 바람에 이리저리 흔들리기를 얼마나 지났을까.

까가강!

"크악!"

"으악!"

비명이 연이어 터졌다.

윤회와 사신단이 있는 쪽이었다.

연후는 미동도 않았다. 그는 알고 있었다. 지금의 저 소란은 그저 교란을 위한 작전이라는 것을.

아니나 다를까.

퍼퍼퍽!

천막을 뚫고 들이치는 강력한 기운들이 있었다.

두 개의 검이었다.

연후는 앉은 자세에서 고개만 살짝 틀어 하나의 검을 흘려보냈고, 다른 하나는 손가락을 이용해 검신을 때렸다.

따앙!

경쾌한 쇳소리에 이어 천막 밖에서 신음이 터졌다.

"윽!"

연후의 검이 손을 떠난 것도 그때였다.

퍽!

"컥!"

손끝을 타고 전해지는 짜릿한 쾌감. 고향에 돌아온 이후 처음 느껴 보는 손맛이었다.

그제야 첫 번째 검이 천막 밖으로 사라졌다.

하지만 연후의 손이 더 빨랐다.

그는 막 천막 밖으로 빠져나가려던 검끝을 수중의 검으로 망치질을 하듯 후려쳤다.

땅!

"크악!"

천막 밖에서 단말마가 터졌다.

연후는 그제야 천막 밖으로 나섰다.

두 명이 쓰러져 있었다. 머리에서 발끝까지 흑포를 두르고 있었는데, 한 명은 즉사를 했지만 한 명은 숨이 붙어 있었다.

연후는 검을 이용해 복면을 갈랐다.

그러자 드러난 얼굴은 핏기라고는 하나 없는 이십대 후반의 청년이었다.

"벽력가에서 보냈나?"

"크크크."

청년이 웃었다.

연후의 눈썹이 휘어질 때, 우득 하는 소리와 함께 청년이 눈을 까뒤집고 넘어갔다.

연후는 바람을 타고 퍼져 나가는 비릿한 악취에 미간을 슬며시 찡그렸다.

'독단을 입에 물고 다니다니…….'

그는 고개를 들어 맞은편을 응시했다. 마침 윤회를 비

롯한 사신단과 호위무사들이 우르르 몰려나오고 있었다.

하지만 상황은 철우와 서백에 의해 끝이 난 뒤였다.

둘의 주변에 네 구의 시신이 나뒹굴고 있었다.

철우가 다가왔다.

"죄송합니다. 한 놈 정도는 사로잡으려고 했지만 독단을 무는 바람에 실패했습니다."

"죽으려고 작정을 하면 신도 못 말린다. 됐으니 주변이나 수습하도록 해."

"알겠습니다."

"주군, 괜찮으십니까?"

윤희가 한걸음에 달려왔다.

"괜찮소."

"어떤 식으로든 움직일 거라 예상은 했지만 이렇게 빨리 움직일 줄은 몰랐습니다."

"장가라고 보시오?"

"달리 보십니까?"

"장가는 아닐 거요. 장천은 내가 스스로 무너지기를 바라고 있소. 아니면 양보가 아니라 맞서 싸우려고 들었을 것이오."

"하면…… 벽력가라고 봐야겠군요."

"아마 그럴 거요. 조롱을 당하고 가만히 있으면 그게

더 우습지 않겠소."

연후는 말을 마치고 어둠 속을 바라봤다.

곳곳에서 바람을 이기지 못하고 치솟는 눈가루가 안개처럼 퍼져 나가고 있었다.

'나를 우습게 본 건가. 아니면 한번 찔러본 건가.'

살수들의 수준이 너무 낮았다.

그렇다면 후자일 가능성이 높았다.

"서백."

"예."

"활 좀 빌릴까?"

"여기 있습니다."

연후는 서백이 건넨 대궁에 살을 한 발 먹였다. 그러고는 공력을 담아 날렸다.

쐐애액!

어둠을 찢으며 날아가는 화살.

잠시 후, 퍽 하는 소리가 어둠 저편에서 울렸다.

'가는 길이 심심하지는 않겠군.'

* * *

유령이 사람의 모습을 한다면 이럴까?

횟가루를 발라 놓은 듯 창백한 얼굴에 뱀처럼 유난히 크고 새카만 동공이 섬뜩함을 풍기는 혈포인이었다.

그는 자신을 향해 날아오는 화살을 보고서도 눈썹 하나 움직이지 않았다.

퍽!

화살은 그의 얼굴을 스치듯 지나가 바로 옆 거목을 관통했다.

실룩.

혈포인의 입 언저리가 살짝 뒤틀렸다.

웃는 건지, 아니면 불쾌한 속내를 드러내는 것인지 종잡을 수 없는 기괴한 표정의 변화였다.

"주군께서 나더러 가라 하셨을 때는 왜 저러시나 했는데…… 이제 보니 그럴 만한 이유가 있었군."

감정이라고는 하나 없는 목소리에 옆에 서 있던 자가 무거운 어조로 말했다.

"둘이…… 순식간에 당했습니다."

"보통 놈이 아니다. 다른 쪽을 이용해 이목을 흐트러뜨렸음에도 놈은 꼼짝도 하지 않았다. 그건 이런 상황을 꽤 많이 겪어 봤다는 거겠지."

"우리가 이곳에 있다는 것을 알고 화살을 날린 걸까요?"

"그게 가능하다고 생각하느냐?"

"불가능합니다. 하지만 화살이 너무 정확하게 이곳으로 날아와서……."

"놀란 모양이군."

"……솔직히 그렇습니다."

"우연일 테니 상대를 너무 크게 보진 마라. 괜히 위축되면 자신감이 떨어지고, 자신감이 떨어지면 감각이 무뎌지는 법이다."

"알겠습니다."

혈포인은 다시 시선을 돌려 연후가 있는 곳을 바라봤다.

그때 막 연후는 천막 안으로 다시 들어가고 있었다. 혈포인은 연후가 천막 안으로 완전히 모습을 감추자 하얀 이를 드러내며 차갑게 웃었다.

"모처럼 재밌어지겠군. 후후후."

"오늘은 여기서 끝냅니까?"

"알아본 바에 의하면 놈은 지금 백야벌로 향하고 있는 중이다. 갈 길이 아직 한참 남았으니 오늘은 그만 쉬도록 해."

"알겠습니다."

수하가 사라지자 혈포인은 천막 주변의 인물들을 날카

롭게 훑었다.

그러다가 철우에게 이르러 한순간 기광을 번뜩였다.

"분위기 한번 요상한 놈이 있었군."

철우를 보는 순간 그는 묘한 감정에 휩싸였다.

뭐랄까.

처음 봤지만 마치 오랫동안 봐 왔던 그런 느낌이라고나 할까?

'나 뇌검으로 하여금 동질감을 느끼게 만드는 놈이 있다니…….'

* * *

퍼붓던 눈발이 거짓말처럼 그쳤다.

연후와 일행들은 이틀 후, 어둠이 내려앉기 시작한 저녁 무렵에 하북의 서쪽 산맥 지대를 넘어 산서성으로 들어섰다.

며칠 동안 제대로 씻지 못했던 연후는 일행들을 생각해 도시로 들어가 모처럼의 휴식을 취할 예정이었다.

"돈은 저희들이 내겠습니다."

사신이 자청하면서 모두는 가장 크고 화려한 객잔을 잡았다.

푸짐한 식사와 고급스러운 술로 저녁을 해결한 모두가 각자의 방으로 들어갔을 때, 연후는 윤회와 찻잔을 기울였다.

"사신들이 주군에게 푹 빠진 것 같아 보입니다."

"그렇게 보셨소?"

"예. 처음에는 그저 주군이 두려워 어쩔 수없이 그러는 것처럼 보였는데, 이곳까지 오면서 지켜보니 쳐다보는 눈빛과 표정에 흠모가 가득하더군요. 해서 다시 한번 여쭙는데…… 도대체 저들을 어찌하신 겁니까?"

윤회는 아직도 이 점을 무척이나 궁금해하고 있었다.

연후는 말없이 차를 한 모금 마셨다.

탁.

"그냥 협박 좀 했소."

"……예? 아니, 대체 협박을 어떻게 하셨기에 세상에 무서울 것이 없다는 벌의 사신들이 저리 쩔쩔매는 것인지……."

"목에 칼을 들이밀어도 눈 하나 깜박이지 않는 사람이 있는가 하면, 그저 말 한 마디에 살려 달라 애걸하는 사람도 있는 법이 아니겠소."

"허어……."

연후는 믿지 못하겠다는 윤회의 표정에 흐릿한 미소를 머금었다.

"내가 하나 물어봐도 되겠소?"

"무엇이든 하문하시지요."

"총사는 왜 아버님의 곁을 떠나지 않았소."

"그게 무슨 말씀이신지……."

"총사 정도의 능력이라면 장가를 비롯한 유력 가문에서 상당히 좋은 조건으로 손길을 내밀었을 텐데 말이오."

윤회가 돌연 정색했다. 그러더니 잠시 지그시 눈을 감고 입을 다물었다.

연후는 재촉하지 않고 무심히 그를 바라봤다.

잠시 후, 윤회가 눈을 뜨고 입을 열었다.

"솔직히 말씀드리자면…… 선주보다는 대공자 때문이었습니다. 제겐 목숨보다 더 소중한 분이셨지요. 말씀처럼 여러 가문에서 손길을 내밀었지만 그때마다 그분의 얼굴을 떠올리니 그 손길이 마치 저를 죽이고자 하는 칼날처럼 느껴져 거부할 수밖에 없었습니다."

죽은 형이 거론되자 연후의 눈빛이 무겁게 가라앉았다. 조금은 음울하다고 보는 것이 옳으리라.

"형님이 그렇게 대단했소?"

"대단하셨지요. 그땐 정말 그분으로 인해 우리 철혈가와 북부무림이 지금껏 누구도 오르지 못한 영광된 자리에 오를 거라 믿어 의심치 않았으니까요."

"잘못 보셨소."

"……."

"그렇게 대단한 사람이라면 죽지 말았어야 했소."

"그때 대공자께서는 벽력가와의 전투에서 입은 부상의 후유증 때문에 거동이 매우 불편하신 상태였습니다."

"무엇이 어찌 되었든 죽었다면 그 자체로 무능한 것이오."

"주군……."

"그만합시다. 이제 좀 쉬어야겠소."

윤회는 다른 말을 하려다가 조심스럽게 일어섰다.

"편히 주무십시오. 아침에 모시러 오겠습니다."

윤회가 돌아가자 연후는 창문을 열었다.

휘이잉.

대뜸 들이친 찬바람이 그의 얼굴을 할퀴고 지나갔다. 연후는 시선을 들어 밤하늘에 위태롭게 걸쳐 있는 초승달을 바라봤다.

모든 것은 이 못한 형 때문에 벌어진 일이니 너는 결코 아버님을 원망해선 안 된다.

머릿속에서 형의 목소리가 환청처럼 울렸다.

아버지보다도 더 원망했던 형이었다.

형 때문에 쫓겨나서가 아니었다.

'저는 형님이 저를 배웅해 주기를 바랐습니다. 그랬더라면 조금은 더 슬펐을 겁니다.'

세가를 떠날 때, 형은 끝내 나타나지 않았다.

그게 연후에게는 가문을 떠나는 것보다 더한 상처와 한으로 남아 있었다.

휘이잉.

또다시 들이친 찬바람에 머리카락이 얼굴을 간질이자 연후는 상념에서 깨어나 저잣거리 먼 곳으로 시선을 던졌다.

꽤 늦은 시간임에도 저잣거리는 사람들로 북적거렸다. 곳곳에서 취객들의 고성방가와 그들을 유혹하는 기녀들의 웃음소리가 뒤섞여 거리 전체를 시끌벅적하게 만들어 놓고 있었다.

이런 건 질색인 연후였다.

'오늘은 잠을 잘 수 있으려나.'

창문을 닫으려고 손을 뻗다가 무심결에 맞은편의 객잔을 응시한 연후는 창문 밖으로 목을 내민 채 저잣거리구경에 여념이 없는 한 여인을 발견하고는 슬쩍 동작을 멈췄다.

이십대 초반쯤 되었을까?

여인은 빙기옥골이니 화용월태니 하는 말로도 부족할 만큼 절세의 미모를 자랑하고 있었다.

게다가 간간이 흰 치아를 드러내며 짓는 미소는 돌부처의 심장마저 녹이고 남을 정도로 폭발적인 매력을 발산했다.

'엄청난 미모군.'

그때였다. 여인이 이쪽을 쳐다봤다.

둘의 시선이 허공을 격하고 얽혀들었다.

"안녕하세요."

여인이 활짝 웃으며 손을 흔들었다.

연후의 미간이 슬쩍 일그러졌다.

마주 인사를 해야 하나?

아니면 그냥 무시할까?

결론은 후자였다.

탁!

창문을 닫고 돌아선 연후는 침상에 몸을 눕혔다. 그리고 십오 년 동안 지속되고 있는 불면과의 전쟁을 시작했다.

* * *

"아니, 저 개새가……."

연후가 머물고 있는 객실의 창문을 노려보며 으르렁대는 청년이 있었다.

사자가 사람의 모습을 하면 이렇지 않을까?

어지간한 사람이라면 그저 쳐다보는 것만으로 기가 질리고도 남을 거친 분위기의 소유자였다.

청년이 있는 곳은 조금 전, 연후에게 인사를 건넸던 여인의 바로 옆방이었다.

"감히 아가씨의 인사를 씹어?"

그때였다.

덜컹.

여인이 다시 창문을 열었다.

"또, 또 흥분한다."

"크흠. 방금 보셨지 않습니까. 저놈이 고귀하신 아가씨의 인사를 무시하는 거 말입니다."

"처음 보는 여자가 갑자기 인사를 건네서 당황해서 그럴 수도 있잖아. 그러니 그만해. 만약 전처럼 사고를 치면 이번에는 정말 돌려보낼 거야?"

"아가씨는 화가 나지도 않습니까?"

"아니? 조금도, 전혀. 그러니 너도 그만 자도록 해."

"……예."

"아침에 봐."

탁!

여인이 창문을 닫고 사라지자 청년은 언제 그랬냐는 듯 다시 눈에 불꽃을 담고는 건너편을 노려봤다.

크르릉.

그때였다.

덜컹.

창이 열리고 연후가 모습을 드러냈다.

공교롭게도 둘의 시선이 딱 마주쳤다.

연후는 청년이 자신을 죽일 듯 노려본다는 것을 깨닫고는 무심히 한마디 했다.

"어이, 덩치. 사람 그렇게 쳐다보는 거 아니다."

"어이, 덩치? 하…… 저 개새 좀 보게."

대뜸 날아드는 쌍욕.

그때, 연후는 청년의 뒤에서 아른거리는 손 하나를 보았다.

손은 정확하게 청년의 뒤통수를 강타했다.

빡!

"컥!"

청년이 두 손으로 머리를 감싸 쥐며 창문에서 사라졌다. 대신 다른 청년이 모습을 드러냈다.

준수하기 짝이 없는 용모에 전신에서 귀태가 좔좔 흐르

는 비범한 분위기의 청년이었다.

그가 연후를 향해 포권을 취하며 살짝 고개를 숙였다.

"아우의 무례가 지나쳤습니다. 대신 사과드리겠습니다. 다시는 이런 일이 없도록 잘 훈계하도록 하겠습니다. 하면 좋은 밤 되십시오."

청년이 거듭 머리를 조아리고는 창문을 닫았다.

탁!

머리 위쪽에서 한 줄기 냉기가 흘러들었다.

"어떡할까요."

철우였다.

"놔 둬."

"주군을 능멸했습니다."

"그런다고 다 죽이면 이 세상에 몇이나 살아남을 수 있을까. 됐으니 그만하고 잠이나 자. 아침 일찍 떠나야 하니까."

"……예."

돌아서려던 철우를 연후가 불렀다.

"철우."

"예?"

"이제부터 우린 과거와는 완전히 다름 삶을 살아야 한다. 그러자면 너나 나나 야성을 억누를 줄 알아야 한다.

명심해."

"알겠습니다."

"그리고 넌 언제까지 내 걱정을 할 거냐."

"습관이 되어서……."

"됐으니 앞으로 호위 같은 건 신경 쓰지 말도록 해."

"……예."

철우가 사라졌다.

잠시 후, 옆방의 문이 열리는 소리가 들리고서야 연후는 시선을 밤하늘로 던졌다.

날카롭게 휘어진 초승들이 마치 적의 칼날처럼 연후의 두 눈을 파고들었다.

'오늘도 잠을 자긴 글렀군.'

* * *

"이제 보니 저 자식…… 분위기가 예사롭지 않은데요?"

맹호(孟虎)가 창틈을 통해 연후를 응시하며 머리를 문질렀다.

"이제야 그게 느껴졌나 보군."

북궁천이 그런 맹호의 뒤쪽에서 느긋하게 찻잔을 기울였다. 맹호가 그를 돌아보며 물었다.

"공자님은 처음부터 그렇게 느끼셨습니까?"

"아니면 내가 나서서 사과까지 할 이유가 있었을까."

"저 자식한테 쫄았습니까?"

빡!

"컥!"

"말 한마디 잘못했다고 목이 날아가는 곳이 강호야. 너처럼 생각 없이 그저 나오는 대로 지껄이는 놈은 더더욱 오래 살기 힘든 법이지. 그러니까 조금 전에 난 네 목숨을 구해 준 거야."

"쫀 거 맞네요."

퍽!

"큭."

"말과 행동에 신중을 기하도록 해. 앞으로 한 번만 더 오늘같이 멋대로 지껄이고 행동하면…… 알지?"

"……예."

북궁천은 남은 차를 마저 비우고는 침상에 몸을 던졌다.

"자야 하니 너도 그만 네 방으로 건너가."

"예. 하면 편히 주무십시오."

"조금 전에 한 말 명심해."

"예, 예. 심장에 담고 뼈에 팍팍 새겨 놓겠습니다요."

슉!

한 줄기 지풍이 맹호의 이마를 강타했다.

빡!

"끄억."

"그런 불량스러운 태도도 고쳐."

"크으……."

쿵.

맹호가 문을 닫고 나가자 북궁천은 눈을 감고 잠을 청했다.

그렇게 일각쯤 지났을까?

북궁천은 감았던 눈을 뜨고 침상에서 내려와 탁자 위에 놓여 있던 술병을 들었다.

벌컥벌컥.

병째 술을 들이켠 북궁천은 다시 침상에 몸을 던졌다. 하지만 이번에도 일각을 넘기지 못하고 다시 눈을 떠야 했다.

'빌어먹을…….'

북궁천은 창문을 열려다가 멈칫했다.

창틈으로 내다보니 연후가 아직까지 밤하늘을 쳐다보고 있었다. 북궁천은 창문을 열려던 손을 거두어들이고 틈을 통해 연후를 바라봤다.

그러다가 쓴웃음을 머금었다.

"인상을 보니 운치를 즐길 성격은 아닌 것 같은데…… 하면 저 양반도 나처럼 불면에 시달리는 건가?"

북궁천은 습관처럼 손을 뻗어 술병을 잡았다. 하지만 이미 술병은 깨끗하게 비워진 상태였다.

그는 잠시 흐릿한 눈으로 천장을 응시했다.

그러다가 돌연 벌떡 일어나 벽에 걸어 놓았던 장포를 걸치고 검까지 챙겼다.

철그럭.

그때였다.

"오빠, 또 잠이 안 와?"

옆방에서 여인의 청아한 음성이 흘러들었다.

북궁천의 입가에 다시 쓴웃음이 걸렸다.

"바람 좀 쐬고 오마."

"그럼 나도 같이 가."

"혼자 생각할 게 있으니 넌 그만 자도록 해."

"알았어. 너무 멀리 가지는 마."

"오냐."

문을 향해 돌아서려던 북궁천은 창틈을 통해 맞은편을 살폈다.

'들어갔네?'

연후의 방에 창이 닫힌 것을 확인한 그는 창문을 통해

지붕 위로 올라섰다.

휘이잉!

한겨울의 냉기를 한껏 머금은 바람이 전신을 사정없이 할퀴었지만 북궁천은 지그시 눈을 감고 잠시 밤기운에 몸을 맡겼다.

너는 남부무림의 주군이 될 고귀한 존재이니라. 매사에 말과 행동에 조심해야 하며 따르는 자들에게는 자비와 아량을, 네 앞을 막아서는 모든 적들에게는 공포와 죽음을…….

아버지의 목소리가 환청처럼 울리자 북궁천은 두 손으로 눈을 잔뜩 끌어모아 얼굴에 끼얹었다.

퍽!

눈이 전하는 냉기가 온몸으로 퍼져 나갔지만 환청은 좀처럼 사라지지 않았다.

'빌어먹을…….'

불면의 원인이었다.

* * *

다음 날 아침.

연후와 일행들은 길을 떠나기 전에 일 층 객잔에서 아침 식사를 시작했다.

꽤 이른 아침임에도 불구하고 손님들이 제법 많이 들어왔다.

"이야, 이게 다 뭐냐?"

서백이 아침상을 보며 혀를 내둘렀다.

저녁 만찬이라고 해도 과언이 아닐 만큼 푸짐하다 못해 화려할 정도였다. 때문에 다른 자리의 손님들이 죄다 이쪽을 쳐다보고 있었다.

사신이 연후에게 웃으며 말했다.

"다음 도시까지 이틀을 꼬박 이동해야 해서 일부러 푸짐하게 시켰습니다. 많이 드십시오."

"고맙소."

연후가 젓가락을 드는 것을 신호로 식사가 시작되었다.

소식을 하는 연후였지만 사신의 성의를 생각해 평소보다 많이 먹었다. 그렇게 일각쯤 지났을까?

객잔 안으로 들어서는 무리가 있었다.

저마다 각양각색의 복장에 무기도 제각각인 다섯 명의 청년들이었는데, 풍기는 분위기가 예사롭지가 않았다.

[주군, 검가(劍家)의 무사들입니다.]

서백의 전음에 연후는 무사들을 힐끗 응시했다. 눈처럼 흰 백포 한가운데에 검가라는 글씨가 황금색으로 선명하게 적혀 있었다.

검가는 백야벌의 팔대가문 중 한 곳으로, 광활한 남부를 지배하는 주군가였다.

[역시 검가답군요. 대놓고 검가임을 내세우고 다니다니 말입니다.]

남부무림의 영역도 아닌 곳에서 검가의 무사들을 만난 걸 우연으로 치부하긴 어려웠다. 저들 또한 대지존의 환갑연에 초대를 받아 백야벌로 향하는 이들일 확률이 높았다.

'그렇다면 분명 남부무림의 높은 자도 함께하고 있다는 것일 텐데…….'

그런 생각을 이어 나가고 있던 그때, 이채를 발하는 사람들이 객잔 안으로 들어섰다.

어젯밤 자신에게 인사를 건넸던 절세미녀와 대뜸 쌍욕을 날렸던 거한, 그리고 거한을 나무랐던 미청년이었다.

연후와 미청년, 북궁천의 시선이 딱 마주쳤다.

"또 뵙습니다."

북궁천이 포권을 취하며 인사를 건넸다.

그에 연후가 살짝 머리만 숙여 화답하고는 이내 시선을

돌리자 맹호의 눈에 불꽃이 튀었다.

"가만있어라."

쿡.

하지만 북궁천이 손가락으로 배를 쿡 찌르자 반쯤 벌어졌던 입술이 도로 달라붙었다.

"이쪽으로 앉으십시오, 아가씨."

"고마워요."

내색하진 않았지만 연후는 내심 놀랐다.

어제 느꼈던 첫인상으로 보통은 아닐 거라 생각은 했지만 설마하니 검가의 사람이었다니.

그때 윤회의 전음이 흘러들었다.

[검가의 대공자 북궁천인 것 같습니다. 만약 그렇다면 여인은 검가의 금지옥엽 중원제일미 북궁소혜일 가능성이 높습니다.]

검가의 대공자와 여동생이라…….

연후는 묘한 감정에 휩싸였다.

향후 자신의 행보에 걸림돌이 될 수도 있는 경쟁 가문의 후계자를 이런 곳에서 만나다니.

검가는 팔대가문 중에서 가장 중립적인 성향을 지닌 것으로 알려져 있습니다. 서북무림이 각별히 공을 들여 손을

잡으려 했지만 지금껏 단호히 거절해 온 것으로 알고 있습니다.

'중립적이라…….'

청년과 여인이 검가임을 알게 되자 조금은 더 정중하게 대할 것을 그랬나 하는 생각마저 들었다.

현시점에서 철혈가는 팔대가문 중에서 가장 전력이 약하다고 할 수 있었다. 친구는 못 되더라도 적을 만들어서는 결코 안 되는 위치였다.

그때 사신이 귀를 솔깃하게 만드는 말을 꺼냈다.

"검가의 대공자와 안면이 있는데, 자리를 만들어 드릴까요? 장차 주군이 되실 분들끼리 미리 인사 정도는 나눠 놓는 것도 나쁘지 않을 것 같아서 드리는 말씀입니다."

연후는 슬쩍 뜸을 들였다.

그는 태연스럽게 고기도 한 점 먹고 같이 나온 차도 한 잔 마신 후에야 고개를 끄덕였다.

"그럽시다."

"예."

곧장 일어선 사신은 검가의 사람들이 앉은 곳으로 향했다. 뒤늦게 사신을 알아본 북궁천이 자리에서 일어나 포권을 취하며 반갑게 맞았다.

연후는 철우와 서백을 응시했다.

"까칠하게 굴지 않도록 해."

"저 덩치가 아까부터 계속 노려보는데요?"

"무시해."

윤회도 두 사람을 향해 진중한 어조로 말했다.

"중요한 자리이니 자중을 부탁하겠소."

그는 이 자리의 중요성을 누구보다 잘 알고 있었다. 어쩌면 그저 인사를 건네는 것으로 끝날 수도 있겠지만 그래도 검가의 대공자와 인연을 틀 절호의 기회이지 않은가.

다만 걱정은 연후였다.

그가 본 연후는 결코 사람과 어울릴 줄 아는 사람이 아니었다. 오히려 지금까지처럼 위압적이고 오만하게 북궁천을 대했다가 되레 검가와 틀어지면 어떡하나 하는 걱정도 제법 컸다.

마침 연후와 윤회의 시선이 딱 마주쳤다.

"내가 걱정되는 모양이오."

"솔직히 조금…… 그렇습니다. 해서 드리는 말씀인데, 조금만 태도와 어조를 부드럽게 하시는 것이 좋겠습니다."

"알겠소."

* * *

북궁천과 북궁소혜가 합석했다.

"귀한 분들임을 미처 몰라뵈었소. 철혈가의 이연후라고 하오."

"검가의 북궁천입니다."

"북궁소혜가 인사드려요."

그저 특별할 것도 없는 인사였다.

하지만 철우와 서백은 자신들의 눈을 의심해야 했다. 연후의 입에서 저토록 부드러운 말이 흘러나오는 건 지금껏 본 적이 없던 탓이었다.

반면 윤회는 내심 안도했다.

"총사."

"예, 주군."

"여긴 시끄러우니 조용한 곳으로 옮겨야 할 것 같소만."

"하면 맨 위층으로 자리를 잡아 보도록 하겠습니다."

이른 시간이라 사 층은 텅 비어 있었다. 덕분에 모두가 사 층으로 자리를 옮길 수 있었다.

사신단의 호위무사들은 그대로 일 층에 남았다.

한편 북궁천은 내심 크게 놀라고 있었다.

'분명 주군이라 하는 것을 들었는데…….'

분명 윤회가 연후를 향해 주군이라 칭하는 것을 들었다. 남부무림까지 명성이 자자한 윤회가 주군이라 칭했다면 연후가 북부무림의 주군임에 틀림없을 터였다.

하지만 그가 접한 정보에 의하면 북부무림의 차기 주군은 장가의 가주 장천이 유력했다.

거의 모든 가문이 그렇게 보고 있었고, 백야벌의 승인도 머지않아 떨어질 거라는 예측이 지배적이었다.

'십오 년 전쯤에 철혈가에서 쫓겨난 아들이 하나 있다고 들었는데…… 맞아, 일전에 봤던 대공자와 많이 닮았다!'

연후가 쫓겨났던 철혈가의 이공자임을 확신한 북궁천은 가슴 깊은 곳에서부터 치미는 감정을 느꼈다.

그는 언젠가 이런 생각을 해 본 적이 있었다.

차라리 나도 철혈가의 이공자처럼 쫓겨나면 좋을 것을. 그럼 내 마음대로 자유롭게 살 수 있을 텐데.

분위기는 화기애애했다.

사신이 대화의 주제를 바꾸면 북궁천이 질문을 했고, 그에 연후는 담담히 대답하는 식이었다.

철우와 서백은 여전히 자신들의 눈을 의심하기 바빴다. 눈앞에서 연후가 보여 주고 있는 부드러운 모습은 도저히 믿어 줄 수가 없는 것이었다.

지금껏 함께하면서 봤던 연후는 피와 죽음을 몰고 다니는 사신과도 같은 존재였다.

아마도 그의 진정한 정체를 알게 된다면 이 자리에 있는 모두는 공포와 두려움에 떨지도 몰랐다.

서백이 전음으로 물었다.

[어떤 것이 진짜 주군의 모습일까요?]

철우는 아무런 대답도 하지 못했다.

당연히 자신들과 함께할 때의 모습이 진정한 연후의 모습이라 여겼지만, 지금 보여 주고 있는 저 모습이 너무나도 자연스러운 까닭이었다.

마치 오랫동안 이렇게 살아온 사람처럼.

"그럼 벌까지 같이 가요!"

북궁소혜의 해맑은 목소리였다.

연후의 부드러운 목소리가 뒤를 따랐다.

"괜히 우리 때문에 번거로워지는 건 아닌지 모르겠소."

철우의 눈썹이 아주 가늘게 떨렸다.

'미치겠네.'

그때였다.

쿵쿵쿵!

누군가 계단을 급히 올라오는 소리가 울렸다. 뒤이어 사신단의 호위무사 한 명이 잔뜩 굳은 표정으로 사 층으로 올라섰다.

사신이 그를 나무랐다.

"감히 어느 안전이라고 호들갑을 떠는 게야!"

"그게…… 말이 모조리 죽어 버렸습니다."

* * *

마방을 다녀온 건 서백이었다.

서백은 곧장 연후에게 보고했다.

"독에 당했습니다. 마방 사람들한테 물어봤지만 수상한 자는 보지 못했다고 합니다."

연후는 산중에서 암습을 해 왔던 자들을 떠올렸다. 보나마나 그들의 짓이리라.

'한낱 마방지기들에게 발각될 리가 없지.'

연후는 윤회에게 물었다.

"은자 좀 있소?"

"군영에서 바로 오느라 몇 푼 되지 않습니다."

연후는 서백과 철우를 응시했다.

"저도……."

"철전 몇 푼이 답니다."

연후도 가진 은자가 얼마 되지 않았다. 오래전부터 돈을 지니고 다닌 적이 거의 없는 까닭에 돈에 대한 개념이 사라진 지 오래였다.

그때였다.

"마침 제게 돈이 좀 있습니다."

북궁천이었다.

그가 품속에서 전표 하나를 꺼내어 내밀었다. 중원 최고의 전장이라는 황금전장이 발행한 은자 오백 냥짜리 전표였다.

"이 돈이면 말 네 필은 충분히 살 수 있을 겁니다. 급한 대로 쓰시고 다음에 갚도록 하시지요."

"어차피 벌까지 얼마 남지 않았으니 도시 구경도 할 겸 걸어가도록 하겠소. 대신 대공자의 호의는 결코 잊지 않겠소."

연후는 말을 하면서 온몸에 돋아나는 닭살을 고스란히 느꼈다.

그는 사신을 돌아봤다.

"우리도 이쯤에서 헤어지는 게 좋겠소."

"어차피 저희도 벌로 가는 길이니 그냥 같이 가시지요.

말은 지부에 들러 구하시면 되지 않겠습니까."

"아니오. 따로 할 일이 좀 있소."

"아, 그러십니까. 하면 아쉽지만 이곳에서 인사를 드리도록 하겠습니다. 벌에 오시면 꼭 찾아뵙도록 하겠습니다."

사신단과 호위무사들이 먼저 떠났다.

뒤이어 북궁천과 북궁소혜가 다가왔다.

"만나 뵙게 되어 무한한 영광이었습니다. 하면 벌에서 다시 뵙도록 하겠습니다."

"살펴 가세요."

"좋은 시간이었소. 그럼 벌에서 또 봅시다."

검가 일행도 곧 객잔을 떠났다.

"술 좀 가져와."

"예."

연후는 서백이 일 층까지 뛰어가서 가져온 술을 단 숨에 비워 버렸다.

탁!

식사 한 끼 하는 시간이 그야말로 억겁처럼 길게만 느껴졌다. 연후에게는 내장이 썩어 들어갈 것만 같은 가식과 위선의 시간이었다.

"하하하. 주군께 이런 부드러운 면이 있었다니요. 속

하, 정말 많이 놀랐습니다."

윤회가 껄껄 웃었다.

철우가 묘한 표정으로 물었다.

"괜찮으십니까?"

"무슨 뜻이지?"

"아니, 그냥……."

"가서 술 한 병 더 가져와."

"술 한 병 더 갖다 드려."

"네가 직접 가져와."

"……예."

철우가 일 층으로 내려간 직후, 방금 전 떠났던 사신단의 호위무사 한 명이 뛰어 올라왔다.

그가 제법 묵직한 전낭을 내밀었다.

철그럭.

"사신께서 아직 이틀이나 남았으니 오시는 동안에 필요한 것이 있으면 쓰시라며 이것을 전해 드리라 하셨습니다."

"이름이 뭐지?"

"여광이라고 합니다."

"기억해 두지."

"하면 별에서 뵙겠습니다."

꾸벅.

윤회는 머리를 조아리고 돌아가는 호위의 뒷모습을 보며 흐뭇한 미소를 머금었다.

'비록 겉모습은 벼른 칼날처럼 한없이 날카롭지만 사람을 끌어들이는 묘한 매력을 지니셨다. 이는 주군으로서 가져야 할 덕목 중에서 굉장히 중요한 부분이다. 선주께서도 지니지 못했던…….'

"아까부터 왜 자꾸 웃소?"

"아, 아닙니다."

아니라고 했지만 윤회의 얼굴에서 미소가 떠날 줄을 몰랐다.

5장

그 마차, 내가 좀 타고 가야겠소

그 마치, 내가 좀 타고 가야겠소

"그분이 마음에 드셨나 봐요."

북궁소혜의 물음에 북궁천은 잠시 생각을 하는 것 같더니 흐릿한 미소를 머금었다.

"나와는 완전히 다른 유형의 사람처럼 보이더구나. 그런데도 이상하게 묘한 동질감 같은 것이 느껴지다니……. 이상하지 않느냐?"

"전혀요."

북궁소혜가 물었다.

"그거 아세요?"

"뭘 말이냐?"

"오늘처럼 누군가와 대화를 나누면서 그토록 흥미로워

하던 오라버니의 모습…… 최근 몇 년 동안 처음 보는 것 같아요.”

“내가…… 그랬나?”

맹호가 나섰다.

“대공자께서 오늘처럼 많이 웃는 모습은 정말 오랜만에 보는 것 같습니다.”

“맞아요. 그래서 저는 그분들과 끝까지 동행하지 못한 것이 너무 아쉬워요. 이틀이라는 시간이 오라버니에게 너무 좋은 시간이 될 수도 있었는데 말이에요.”

‘평소의 내가 어땠기에…….’

두 사람의 말에 북궁천은 쓴웃음을 머금었다.

결코 행복하지 않은 세가에서의 삶.

짧은 시간에 몇 번 웃은 것만으로 저들이 이렇게까지 말하는 것을 보면 애써 감춘다고 했지만 그게 잘 안 된 모양이었다.

딸그락.

북궁천은 연후를 떠올렸다.

‘사람한테 이렇게 끌려 본 적은 없는데…….’

그로서는 매우 신기한 경험이었다.

그때였다. 무사 한 명이 들어왔다.

“대공자, 주군께서 근처에 막 도착하셨다고 합니다.”

착각일까?

북궁천의 수려한 얼굴에 옅은 그늘이 드리웠다가 이내 사라졌다.

"그만 가자. 가서 인사부터 드려야지."

* * *

북궁소(北宮素).

검가의 가주이자 남부무림의 주군이며, 검신(劍神)이라고 불리는 존재.

당대 천하에 호랑이와 같은 존재이건만 그의 모습은 평범한 촌부의 그것과 별반 다르지 않았다.

그는 안으로 들어서는 북궁천과 북궁소혜를 응시하며 부드러운 미소를 머금었다.

"무탈한 모습을 보니 아 아비의 마음이 비로소 놓이는구나. 그래, 이곳까지 오는 동안에 별일은 없었고?"

"예. 다들 무사히 잘 도착했습니다."

여무사들이 주안상을 들고 들어섰다.

객잔임에도 북궁소의 수발은 여무사들이 직접 담당했다.

"듣자니 철혈가 사람들과 어울렸다고?"

“오는 길에 우연히 연을 맺게 되어 잠시 대화를 나눴을 뿐입니다.”

북궁천의 말에 북궁소의 미간에 슬며시 주름이 잡혔다.

“연이라는 말은 함부로 하는 것이 아니다. 비록 지금은 쇠락일로를 걷고 있다지만 그래도 그들은 본 가와 경쟁 관계. 괜한 호기심으로 섣불리 연을 맺지 않도록 하여야 한다.”

“경쟁을 한다고 해서 모두가 다 적은 아니지 않습니까.”

“적이 될 수도 있으니 하는 말이다. 또 잊었느냐? 백야벌과 팔대가문이 어떻게 유지되는지. 누구라도 한순간 빈틈을 보이면 그 길로 모든 것을 잃게 될 수도 있음을 명심하라 했거늘…….”

“솔직히 소자는 잘 모르겠습니다. 다들 왜 그렇게 살아야 하는지…….”

“이놈이 또!”

“속이 불편하여 잠시 바람 좀 쐬고 오겠습니다.”

자리를 박차고 일어선 북궁천이 그대로 밖으로 나가 버렸다.

노기로 붉어지는 북궁소의 얼굴.

북궁소혜의 입술을 뚫고 나지막한 한숨이 흘러나왔다. 그녀는 북궁소를 응시하며 간청했다.

"오라버니가 마음을 잡을 때까지 기다려 주세요. 자꾸 이런 식으로 강하게 다그치시면 오히려 문제만 키우게 될 거예요."

"언제까지 기다리란 말이냐. 저놈의 나이 벌써 스물하고 여덟이다. 다른 가문의 대공자들은 벌써 입벌을 하여 대지존께 제왕학을 배우고 있거늘, 저놈은 여전히 이상에 사로잡혀 헤어나질 못하고 있지 않느냐!"

"……."

북궁소혜는 입을 다물었다. 더 말하면 오히려 북궁소의 화만 부추길 것 같아서였다.

"소녀도 이만 나가 볼게요. 곧 떠나야 하니 오라버니를 모시고 올게요."

"거기 앉거라. 네게 따로 할 말이 있다."

"……혼사 얘기라면 듣지 않을래요. 그럼 나중에 봬요."

탁!

북궁소혜마저 나가 버리자 북궁소의 눈썹이 파르르 떨렸다. 뒤이어 노기를 참지 못해 입술을 지그시 깨물더니 결국 한숨을 내쉬며 고개를 떨궜다.

그때였다.

뒤쪽에 쳐져 있던 천이 좌우로 벌어지며 백포인 하나가 조용히 걸어 나왔다.

검가의 군사 백도량(白道良)이었다.

그는 노기로 인해 붉어진 북궁소의 얼굴을 조용히 바라보며 맞은편에 앉았다.

“아무래도 생각을 해 봐야 할 것 같구나.”

“후계자 문제 말입니까?”

“보았지 않느냐.”

탁!

“도저히 변할 것 같지가 않아. 도저히…….”

“조금만 더 기다려 보시지요. 여기서 섣불리 후계자 구도에 변화가 생기면 자칫 내부에서부터 분열이 일어날까 두렵습니다.”

백도량의 말에 북궁소의 눈빛이 다시금 흔들렸다.

“그나저나 대공자께서 만났다는 철혈가의 사람이 십오 년 전에 쫓겨났다던 이공자라고 합니다.”

꿈틀.

역팔자로 휘어지는 북궁소의 눈썹.

“인연이라는 말까지 하기에 차기 가주가 유력시되는 장가의 사람이라도 되는 줄 알았거늘…….”

“그 자리에 총사 윤회도 함께 있었는데, 윤 총사가 이공자를 주군이라 칭했다고 합니다."

"윤회는 죽은 이염의 심복 중 한 명이니 당연히 이염의 핏줄에게 주군이라 칭할 테지."

"윤회는 공사가 분명한 사람입니다. 아무리 주군가의 적자라도 능력이 모자라면 결코 따르지 않을 사람입니다. 해서 드리는 말씀인데…… 그자에 대한 조사를 미리 해 둬야 할 것 같습니다. 만약의 경우에 대비는 해 둬야 지 않겠습니까."

"그건 군사가 알아서 하거라."

백도량이 일어서서 머리를 조아렸다.

"좀 쉬십시오. 시간이 되면 모시러 오겠습니다."

밖으로 나선 백도량은 객잔의 입구를 지키고 있던 무사들에게 물었다.

"대공자께서는 어디로 가셨느냐?"

"저잣거리 북쪽으로 가셨습니다."

"아가씨도 그리로 가셨느냐?"

"예."

백도량은 저잣거리 북쪽을 응시했다.

이른 시간이었지만 벌써부터 몰려나온 수많은 사람들이 거리를 가득 메우고 있어서 북궁천과 북궁소혜의 모습은 어디에서도 찾아볼 수가 없었다.

'천부적인 자질을 타고났어도 심약하고 의지마저 없다면 아무 소용도 없는 것인데…….'

거칠 것이 없다고 알려져 있는 검가.

대공자 북궁천은 검가의 가장 큰 우환거리가 되어 가고 있었다.

* * *

'대지존은 나를 북부무림의 주군으로 인정을 해 줄까?'

백야벌이 가까워지자 연후의 머릿속은 온통 이 생각뿐이었다.

세가의 가주가 되는 것은 어려운 일이 아니었다. 하지만 북부무림을 통치하는 주군의 자리에 오르는 것은 대지존의 허락이 있어야만 가능하다.

그건 다른 일곱 가문도 마찬가지였다.

'장가 쪽에서 이미 상당한 공을 들여 놓았을 테니 쉽지는 않겠지.'

신경이 쓰였지만 걱정을 하진 않았다.

'내겐 장천의 방심이 가져다준 시간이 있다. 그사이에 대지존이 허락할 수밖에 없게끔 만들어야 한다. 그러자면…….'

귀환을 하고 장천과 장로원주 송겸을 만나고, 전장으로 갔다가 휴전협정을 이끌어 낸 다음 이곳까지 올라오면서 단 한시도 머릿속에서 놓지 않은 것이 있다면 바로 이 부분이었다.

모두가 나를 북부무림의 주군으로 인정할 수밖에 없는 결과를 내야 한다.

머리를 쥐어짜 낸 결과 나온 답은 하나뿐이었다.

전쟁(戰爭).

힘의 시대에 자신의 능력을 증명할 가장 확실한 방법은 이것뿐이었다.

물론 패하면 그날로 모든 것이 무너지게 될 테지만 그 반대라면 원하는 것을 얻을 수 있을 것이다.

'당장은 벌의 대연회에 집중하자.'

"주군."

뒤에서 들려온 윤희의 목소리에 연후는 걸음을 멈추고 뒤를 돌아봤다.

윤희가 눈짓으로 저잣거리 맞은편을 가리켰다.

자연스럽게 고개를 돌린 연후는 화려하기 짝이 마차를 발견하고 눈빛을 빛냈다.

마차의 지붕에 펄럭이는 깃발. 그곳을 수놓은 북부(北部)라는 글자가 연후의 동공을 깊숙이 파고들었다.

"……북부무림의 주군만이 탈 수 있는 마차입니다."

무겁게 말하는 윤호의 얼굴에 은은한 노기가 어려 있었다.

연후는 마차의 창을 바라봤다. 하지만 천으로 가려져 있어서 그 안을 들여다볼 순 없었다.

누가 타고 있을까?

보나마나 장천, 아니면 송겸이리라.

그 두 사람이 아니면 아무리 주군의 자리가 공석이 되었다고 해도 감히 누가 주군의 마차를 타고 다닐 수 있을까.

"마침 잘됐군."

"예?"

"명색이 북부무림의 주군인데 도보로 벌에 입성할 순 없지 않겠소."

"하면……."

연후는 마차를 향해 성큼 걸어 나갔다.

윤회는 불안했다.

'대체 어쩌시려고.'

그는 재빨리 연후의 뒤를 따랐다.

철우와 서백은 보이지 않았다. 그들은 보이지 않는 곳에서 자신들의 임무에 충실하고 있었다.

연후와 마차의 거리가 점점 가까워질 때였다.

돌연 인파 속에서 섬뜩한 기운이 날아들었다. 동시에 연후의 우수가 절묘한 궤도로 허공을 갈랐다.

콱!

그가 움켜쥔 것은 누군가의 손목이었다.

으드득.

"크억!"

"컥!"

뼈마디가 으스러지는 소리와 함께 신음이 두 곳에서 동시에 터졌다. 연후의 좌수에서 은은한 혈광이 떠올랐다가 사라지고 있었다.

"으아아!"

"사, 사람이 죽었다!"

저잣거리가 한순간 혼란에 휩싸였다.

놀란 인파가 사방으로 흩어지는 바람에 철혈가의 마차가 그 자리에 멈췄다.

인파가 썰물처럼 빠져나간 곳에 평범한 무복 차림의 두 명이 피를 흘리며 꼬꾸라져 있었다.

한 명은 이마에 구멍이 뚫린 채 즉사했지만 다른 한 명은 물먹은 종이처럼 흐물흐물해진 팔을 부여잡고 고통에 몸부림치고 있었다.

그때였다.

"크악!"

조금 떨어진 곳에서 처절한 단말마가 터졌다.

뒤이어 철우와 서백이 모습을 드러냈다.

"다른 놈들은 없었습니다."

묵묵히 고개를 끄덕인 연후는 철우에게 고통에 신음하는 자를 눈짓으로 가리키고는 마차를 바라봤다.

인파가 싹 빠져나간 탓에 마차를 몰던 무사들이 그를 알아보지 못할 리가 없었다.

무사들이 연후를 향해 머리를 숙였다. 하지만 말에서 내리는 자는 한 명도 없었다.

윤회가 무겁게 꾸짖었다.

"냉큼 말에서 내리지 못할까!"

그때였다.

마차의 문이 열리고 새하얀 백포를 걸친 발 하나가 땅을 밟았다. 연후는 무심한 눈으로 마차에서 내리는 인물을 응시했다.

장천이었다.

그가 연후를 향해 포권을 취하며 머리를 조아렸다.

"공자를 뵙습니다."

그제야 무사들이 말에서 내리더니 한쪽 무릎을 꿇으며 머리를 조아렸다.

처처척!

"벌에 가는 길이오?"

"예. 대지존께서 미천한 제게도 초청장을 보내 주셨으니 찾아뵙지 않을 도리가 있어야지요."

"잘됐네."

"……."

"나를 죽이고 싶어 하는 놈들이 타고 온 말을 모조리 독살시키는 바람에 어쩌나 싶었는데…… 그 마차는 내가 좀 타고 가야겠소."

장천의 눈빛이 찰나의 순간 살짝 흔들렸다.

같이 타고 가자는 것도 아닌 자신이 타고 가겠다는 말은, 그냥 마차를 내놓으라는 소리였다.

그때 연후의 전음이 장천의 귓속을 파고들었다.

[일개 가신 따위가 감히 주군의 마차를 사용하다니…… 결코 작은 죄가 아니지만 날도 날인 만큼 이번은 그냥 넘어가 주겠소, 외숙.]

"오해가 있으신 것 같습니다. 공자께서 전장에서 바로 벌로 향하셨다는 소식을 접하고 선주의 마차를 가져왔습니다. 물론 공자께 전해 드리고자 함이지요."

연후가 예상했던 말이 장천의 입술을 뚫고 흘러나왔다.

이 말을 듣기 위해 일부러 전음을 날려 도발을 한 것이었다. 적어도 이곳에 와 있는 무사들은 장천이 연후에게 머리를 조아렸다는 것을 알게 될 테니까.

'언제든 나 정도는 무너뜨릴 수 있다는 자신감이 차고 넘치겠지. 그래서 이렇게 양보하는 것이고.'

연후는 장천의 속내를 정확하게 꿰뚫어 보고 있었다.

그리고 그것을 철저히 이용했다. 그걸 장천이 아는지 모르는지는 오직 그만의 문제였다.

"가주의 뜻이 그러하다니 고맙소."

"하면 어서 마차에 오르시지요."

연후는 철우와 서백을 돌아봤다.

서백이 한 걸음에 다가와 마부석의 무사를 올려다보며 씩 웃었다.

"그만 내려오시지."

"……."

무사가 마지못해 내려오자 서백이 마부석으로 올라섰다.

"주군. 그만 오르시지요."

"기다려봐."

연후는 철우를 돌아봤다.

"전에 한 번 당했으면 대비를 했어야지."

"그게 이번에는 독단이 아니라…… 아무런 전조도 없이 갑자기 죽었습니다. 혈도까지 제압을 했는데 말입니다."

'전조도 없이 죽어 버려?'

연후는 눈을 가늘게 떴다.

혈도를 제압당한 상태에서 스스로 목숨을 끊는다?

상식적으로 불가능한 일이었다. 무언가 기묘한 술수를 부린 것은 분명했다.

'확실히 특이한 놈들이군.'

연후는 장천을 돌아봤다.

"그럼 나는 이만 가 볼 테니 이 시신의 처리 좀 맡기겠소."

"알겠습니다. 저희가 처리할 테니 염려 놓으시고 그만 가 보시지요."

장천은 다시 머리를 숙였다.

잠시 후, 연후를 태운 마차가 저잣거리 북쪽을 향해 움직이기 시작했다.

그 모습을 바라보는 장천의 미간에 주름이 잡혔다. 측

근이 다가와 물었다.

"저자의 오만함이 도를 넘어서고 있습니다. 어찌하여 가주께서는 계속 양보만 하십니까?"

"선주의 적자가 아니냐."

"그렇다고 마차까지 그냥 내주신 것은……."

"그 또한 선주의 마차이니 어쩌겠느냐. 달라고 하면 내줄 수밖에."

성이 잔뜩 난 측근과는 달리 장천은 한없이 여유로워 보였다.

"그래도 너무 양보하시는 것 같습니다. 이러다가 자칫 이공자가 자신이 정말 주군이 된 것이라 착각을 할까 걱정입니다."

"착각이라……. 원래 높은 곳에서 떨어지면 더 아픈 법이지, 후후후."

측근은 화를 내기는커녕 오히려 묘한 미소를 머금는 장천이 이해되지 않았다.

"너는 나를 믿지 못하는 것 같구나."

"제가 감히 그럴 리가 있겠습니까. 다만 가주께서 너무 몸을 낮추시는 것 같아 그 뜻이 의아할 따름입니다."

"네 마음은 알겠으니 그만 가자꾸나."

"마방에서 말을 구해 보겠습니다."

"아니다. 모처럼 여기까지 왔으니 천천히 걸으면서 풍경도 구경하고 사람 구경도 하고 그러면서 가는 게 좋겠다."

"아직 이틀이나 더 걸어가야 합니다."

"그깟 이틀쯤이 대수이겠느냐. 하니 호들갑 그만 떨고 앞장서거라."

"……예. 가주를 모셔라!"

"예!"

장천이 먼저 나섰다.

측근은 나지막이 한숨을 내쉬고는 그 뒤를 따랐고, 함께 온 장가의 무사들도 이내 장천의 주변을 에워싸며 호위에 들어갔다.

잠시 후, 사람들이 시신 주변으로 몰려들었다.

그중에는 뇌검도 있었다.

지극히 평범한 복장을 한 그는 인파 속에서 죽은 수하들을 응시하며 눈빛을 가라앉혔다.

측근이 무겁게 말했다.

"완벽한 기회였습니다. 그럼에도 맥없이 당하고 말았습니다. 아무래도 그자가 우리의 예상보다 더 강한 것 같습니다."

뇌검은 묵묵히 고개를 끄덕였다.

사실 그도 내심 크게 놀란 상태였다.

그의 수하들은 지금까지 수십 차례 살수행을 실패 없이 성공해 낸 살수들이었다.

그런 이들이 찰나의 순간에 시간 차를 두고 달려들었다. 그것도 손만 뻗으면 닿을 수 있는 지척에서.

그런데 생채기조차 내지 못했을 뿐만 아니라, 도리어 한순간에 모두 제압을 당했다.

더 놀라운 것은 그 상황에서도 한 명은 죽이지 않고 사로잡았다는 점이었다.

피식.

돌연 뇌검의 입가에 묘한 미소가 걸렸다.

'모처럼 제대로 된 상대를 만난 것 같군.'

뇌검은 확연히 느끼고 있었다. 꽤 오랫동안 차갑게 식어 있던 자신의 심장이 뜨겁게 달구어지고 있음을.

그런 뇌검을 지켜보는 눈동자가 있었다.

바로 장천이었다.

여유롭게 저잣거리를 걷다가 돌연 골목길로 들어선 그는 인파에 섞여 묘한 미소를 머금는 뇌검을 응시하며 의미심장한 미소를 머금었다.

'이공자를 공격했던 놈들과 한패렷다.'

[어찌할까요, 가주.]

장천의 귓속을 파고드는 한 줄기 전음성.

[우리가 나설 필요는 없으니 그냥 놔둬라.]

[이공자가 가주를 의심할 수도 있습니다.]

[그럴 테면 그러라지.]

[…….]

'보나마나 벽력가가 움직였을 터. 하면 벌까지 가지도 못하고 무너질 수도 있겠군. 후후후.'

장천은 회심의 미소를 머금으며 돌아섰다. 그러다가 아차 하는 표정을 지었다.

'대지존께 드릴 선물을 두고 내리다니…….'

연후의 오만함 앞에서도 여유를 잃지 않았던 장천의 얼굴에 당혹감이 드리웠다.

더불어 치미는 불안감이 있었다.

'그것까진 양보할 수 없는데…….'

* * *

마차의 실내는 화려함의 극치였다.

호피가 깔린 바닥이며 벽 곳곳에 걸려 있는 조각품들은 한눈에 봐도 진귀한 것으로 보였다.

하지만 연후의 시선을 가장 잡아끈 것은 한쪽에 놓여 있던 큼지막한 금합(金盒)이었다.

윤회가 말했다.

"대지존께 드릴 선물인 것 같습니다."

연후는 금합의 뚜껑을 열었다. 그러자 휘황찬란한 빛이 두 눈을 찌르며 퍼져 나갔다.

그리고 드러난 구슬 한 개.

마치 용의 눈동자를 따로 뚝 떼어 놓은 듯한 그것을 보며 윤회가 탄성을 발했다.

"세상에 이렇게 큰 용안석이 있었다니……."

용안석(龍眼石)은 묘안석(猫眼石)과 비슷한 모양을 하고 있지만 가치는 비교조차 할 수 없을 만큼 값비싼 보석(寶石)이었다.

하물며 어린아이의 주먹만 한 크기라면 은자로 환산했을 때, 얼마가 될지 감히 상상조차 할 수 없었다.

하지만 연후는 재물에 관심이 없었고 잘 알지도 못했다.

"이게 그렇게 대단한 것이오?"

"이 정도 크기라면……."

윤회가 용안석의 가치에 대해 자세히 설명했다. 말이 끝나자 연후는 어이가 없어 실소마저 머금었다.

"선친께서도 대지존에게 이런 선물을 하셨소?"

"팔대가문의 누구라도 입벌을 할 때마다 대지존에게 선물을 드리는 것은 관례처럼 되어 있습니다. 물론 이 정도까지는 아니지만 선주께서도 줄곧 그렇게 해 오셨습니다. 하물며 이번 대연회는 대지존의 환갑이시니 선물의 정도가 더할 수밖에 없을 것입니다."

"뇌물이라고 보는 게 옳겠군."

탁!

연후는 금합의 뚜껑을 닫았다.

'마침 잘됐군. 안 그래도 빈손으로 가는 게 조금 걸렸는데…….'

윤회는 연후의 의도가 궁금했다.

'설마 용안석을…….'

하지만 굳이 묻고 싶지가 않았다.

지금껏 봐 온 연후는 한 번 하겠다고 결정을 내리면 되돌리는 법이 없었다. 또한 자신이 나서서 말린다고 해서 말려질 사람도 아니거니와, 그 자신도 굳이 장가를 상대로 도의를 따지고 싶지는 않았다.

'대부인의 위세를 등에 업고 옳지 않은 방법으로 부를 축적한 장가다. 그들의 성장과 주군가의 쇠락은 결코 무관하지 않다.'

주군가인 철혈가의 쇠락에 장가의 책임이 결코 작지 않다고 생각해 온 윤회였다. 사실 북부무림의 꽤 많은 이들이 그와 같은 생각을 하고 있었다.

윤회는 마차의 벽에 기대어 눈을 감은 연후를 물끄러미 바라봤다. 보고 있자니 통한을 안고 세상을 떠난 선주와 대공자의 모습이 아른거려 속이 울컥거렸다.

제가 꿈꿨던 강인한 주군의 모습이었습니다.

언젠가 전장을 찾아와 자신에게 격한 표정으로 말했던 곽양의 목소리가 귓전을 맴돌았다.

'제발 그리되시기를…….'

* * *

겨우겨우 잠에 들었으나, 잠이 든 지 얼마 지나지 않아 그의 손에 죽어 간 자들의 절규가 연후를 깨웠다.

'빌어먹을…….'

돌아보니 온몸이 흥건하게 젖어 있었다. 여전히 마차 안이었고, 윤회는 보이지 않았다.

연후는 물병을 들어 입으로 가져가 갈증을 해소하고는

창문을 열었다.

사위는 이미 어둠이 내려앉고 있었다.

휘이잉.

연후는 한기를 머금은 바람에 잠시 몸을 맡겼다.

윤회가 창가로 다가왔다.

마차 안에서 함께 이동하던 그는 연후가 잠든 것을 보고 방해하기가 싫어서 말을 타고 이동하는 중이었다.

"주군, 오늘 밤은 저 도시에서 보내야 할 것 같습니다."

윤회가 전방을 가리켰다.

불야성을 이룬 도시의 야경은 마치 어둠 속에서 피어오른 거대한 꽃처럼 화려했다.

"그럽시다."

마차는 곧장 도시를 향해 내달렸다.

그렇게 얼마나 달렸을까? 마차가 서서히 속도를 늦추기 시작했다.

곧이어 서백의 목소리가 울렸다.

"전방에 검문소가 있는 것 같습니다."

연후는 고개를 내밀어 전방을 응시했다.

도시의 초입으로 이어진 관도 위에 사람들이 줄지어 늘어서 있었다. 그리고 곳곳에 무기를 소지한 무사들이 누구도 관도 밖으로 나가지 못하게 삼엄한 경계를 서고 있었다.

윤회가 말했다.

"백야벌에서 검문을 하고 있는 것 같습니다."

"벌에서 그런 것도 하오?"

"예. 최근부터 시작한 것으로 알고 있는데, 벌의 총단에서 일정거리 안으로 들어서면 누구든 신분을 밝혀야 하고 무기도 벌의 허락이 있어야만 가지고 들어갈 수 있는 것으로 알고 있습니다."

"팔대가문도 그렇다는 말이오?"

"예, 그렇게 들었습니다. 엇."

윤회가 말을 하다말고 뒤를 돌아보며 눈빛을 발했다. 자연스럽게 뒤를 향해 돌아간 연후의 두 눈에 어둠을 헤치며 다가오는 두 대의 마차와 말을 탄 수십 명의 무사가 보였다.

'전가라…….'

마차의 지붕에서 펄럭이는 거대한 깃발에 쓰여 있는 전가(戰家)라는 글자에 연후는 기광을 머금었다.

"전가다!"

"으……."

전가의 등장에 관도 위에 늘어섰던 사람들 대부분이 두려운 기색을 보이며 황급히 길가로 물러섰다.

백전노장 윤회의 얼굴에도 긴장감이 내려앉았다.

전가(戰家).

팔대가문의 한 곳으로, 남해군도를 지배하는 전귀(戰鬼)들의 가문.

그들의 등장에 주변 공기가 싸늘히 얼어붙었다. 그들은 천천히 다가와 연후가 타고 있는 마차의 옆에 자리했다.

사람들이 길가로 물러나면서 검문소와 더 가까운 곳까지 갈 수 있었지만 그들은 더 이상 앞으로 나아가지 않았다.

그 바람에 두 가문의 마차가 나란히 선 형국이 되었다.

연후는 마차의 창을 응시했다.

반쯤 열린 창 너머로 두 사람의 옆모습이 얼핏 드러났는데, 오십대쯤 되어 보이는 중년인과 이십대 중반의 미청년이었다.

칼이 사람의 모습을 하면 저럴까 싶을 정도로 두 사람에게서 느껴지는 기운은 날카로움 그 자체였다.

전가는 팔대가문 모두가 가장 경계하고 꺼리는 곳으로 그들의 검법은 역사상 최강이라 평가받고 있으며…….

귀신과는 싸워도 전가의 고수들은 피해야 한다.

연후는 전가에 대한 세간의 평가와 소문을 떠올리며 얼마 남지 않은 물을 마저 마셨다.

그때 청년이 그를 힐끗 쳐다보면서 둘의 시선이 허공을 격하고 얽혀들었다.

마차의 지붕에 나부끼는 깃발만으로 서로가 누군지 알 수 있으니 눈인사라도 나눌 법도 하건만 연후도, 청년도 이내 시선을 돌렸다.

"조금 더 가까이 오십시오!"

무사의 외침에 서백이 마차를 움직였다.

무사가 마차의 지붕에서 나부끼는 깃발을 확인하고는 정중히 물었다.

"장천 공께서 타고 계십니까?"

대답은 윤회가 했다.

"주군께서 타고 계시오."

"북부무림의 주군은 아직 정해지지 않은 것으로 알고 있습니다만."

"선주의 적자께서 돌아오셨소. 자세한 것은 대지존께 직접 아뢸 것이니 길을 터 주시오."

"죄송하지만 저흰 기별을 받지 못했습니다. 해서 신분부터 확인을 해야 하니 잠시 마차에서 내리시어 저곳으로 가 주시지요."

윤회가 뭐라 하려 할 때, 연후의 전음이 흘러들었다.

[난 괜찮소.]

뒤이어 마차의 문을 열고 연후가 마차에서 내리자 관도 위의 모든 시선이 일제히 그에게 쏠렸다.

철혈가의 사정은 천하가 다 알고 있었다.

따라서 과연 누가 북부무림의 지존을 상징하는 마차에 타고 있는지는 초미의 관심사였다.

지켜보는 모두가 놀란 것은 윤회가 선주의 적자를 언급해서였다.

"철혈가의 대공자는 몇 해 전에 죽지 않았나?"

"그러게. 하면 또 다른 아들이 있었단 말인가?"

"조금 전에 선주의 적자가 돌아왔다고 하는 것 같던데, 내가 잘못 들었나?"

연후는 사람들의 수군거림을 들으며 무사가 가리킨 곳으로 향했다.

건물 좌측에 마련되어 있는 자그마한 방처럼 생긴 곳이 었는데, 신분 확인을 기다리는 사람들로 꽤 붐비고 있었다.

윤회와 철우가 그의 뒤를 따랐고 서백은 마차를 지켰다.

그때였다.

"통과!"

"충!"

다름 차례였던 전가는 별다른 검문 없이 바로 통과가 떨어졌다.

검문을 하던 무사들이 지나가는 마차를 향해 군례까지 올리자 윤회의 얼굴에 은은한 노기가 떠올랐다.

"난 괜찮소."

"하지만 주군……."

윤회는 말을 잇지 못했다. 연후가 벽에 등을 기대며 눈을 감은 탓이었다.

모여 있던 사람들이 연후를 힐끗거렸다. 하지만 철우의 서슬 퍼런 모습에 아무도 입을 열지는 못했다.

그렇게 일각쯤 지났을까?

백야벌의 무사가 다가왔다. 그가 윤회에게 물었다.

"초청장을 갖고 계십니까?"

"전장에서 바로 오시는 바람에 초청장은 다른 사람이 갖고 있소."

사신을 통해 소식을 접하고 바로 온 까닭에 초청장은 장천이 갖고 있었다.

"그럼 조금 더 기다려 주셔야겠습니다. 저희들에게 내려온 전문에 북부무림에서 오실 분은 장가의 가주라고 하였습니다.”

그때였다.

“어찌하여 이곳에 계십니까?”

귀에 익은 목소리와 함께 다가오는 사람은 사신이었다. 그가 무사를 향해 대뜸 호통을 쳤다.

“북부무림의 주군가에서 오셨다. 한데 어찌하여 이곳으로 모셨느냐!”

“북부무림에서 오실 분이 장가의 가주라 들었습니다. 다른 분들에 관한 언급은 일절 없었는지라…….”

“내가 보증하니 어서 길을 터라.”

“알겠습니다.”

연후는 그제야 감았던 눈을 뜨고 일어섰다. 사신이 머리를 조아렸다.

“죄송합니다. 사전에 기별하지 못한 탓에 아이들이 감히 무례를 저질렀습니다. 부디 너그럽게 이해해 주십시오.”

“본분을 다했는데 어찌 탓할 수 있겠소. 나는 괜찮으니 그만 갑시다.”

“감사합니다.”

연후는 마차가 있는 곳으로 향했다. 가면서 자신을 담당했던 무사의 어깨를 다독거려 주는 것을 잊지 않았다.

"수고하시오."

"충!"

윤회는 연후의 뒷모습을 응시하며 살짝 눈빛을 떨었다. 방금 무사를 다독거려 줄 때 연후의 눈빛은 진심을 담고 있었다.

'화를 내실 줄 알았는데…….'

* * *

연후와 일행들은 바로 저잣거리로 향했다.

창을 통해 번화한 거리를 응시하던 연후의 눈에 가장 크고 화려한 객잔의 앞에 전가의 마차가 세워져 있는 것이 보였다.

"서백."

"예, 주군."

"저곳으로 간다."

"알겠습니다."

서백이 마차의 방향을 틀었다.

윤회는 내심 걱정이 되었다. 누구라도 꺼려 하는 전가와 한 객잔에서 머문다는 게 꺼림칙했던 것이다.

하지만 차마 다른 곳으로 가자는 말은 꺼낼 수가 없었

다. 자칫 연후의 자존심을 건들까 싶어서였다.

잠시 후, 연후는 마차에서 내려 객잔으로 들어섰다. 특이하게도 입구를 점소이가 아닌 무기를 소지한 무사들이 지키고 있었다.

그들이 철혈가의 깃발을 몰라볼 리가 없었다.

"어서 오십시오."

"맨 위층으로 부탁하네."

"마침 한 자리가 비었으니 올라가시지요."

"들어가시지요, 주군."

객잔은 오 층으로 되어 있었다.

일 층부터 사 층까지 계단을 통해 올라가면서 살펴보니 대부분이 무림인들이었다.

오 층에 이르자 역시 검을 찬 무사가 연후를 맞았다.

"어서 오십시오. 안으로 모시겠습니다."

오 층은 확실히 다른 층에 비해 고급스러웠다. 곳곳에 걸려 있는 그림과 온갖 화려한 장식은 물론이고, 자리 배치도 다른 층에 비해 비교적 넓었다.

연후와 일행이 앉은 곳은 전가와 마주 보는 자리였다. 그들은 연후와 일행들이 안으로 들어설 때 눈길조차 주지 않았다.

'철저히 무시하겠다 이건가?'

연후는 피식 웃으며 탁자 위에 놓여 있던 냉수를 한 그릇 마시고는 다소 강하게 내려놓았다.

퍼석!

그릇이 산산조각이 나며 물이 튀었다.

소리가 컸던 까닭에 모든 이들의 시선이 연후에게 쏠렸다. 몇 몇은 노골적으로 불쾌한 기색을 드러냈다.

"닦아 드리겠습니다."

안에서 대기하고 있던 점소이가 천을 들고 황급히 다가왔다.

"됐고, 요리가 나올 때까지 술부터 좀 부탁할까?"

"오 층은 기본이 금존청입니다만……."

"두 병."

"알겠습니다."

돈은 넉넉했다. 사신이 여광을 통해 전한 전낭에 은자가 아니라 금이 들어 있었다.

'이런 건 질색인데…….'

연후는 모든 이들의 시선이 자신에게 쏠리거나 말거나 의자에 비스듬하게 몸을 기댔다.

윤회는 내심 불안했다.

지금 이곳에 와 있는 사람들은 하나같이 무림에서 명망이 높거나 거대 세력의 수장들이었다. 어떻게 보느냐에 따라 연후의 행동은 매우 무례하다할 수도 있는 부분이었다.

그가 가장 먼저 눈치를 살핀 쪽은 당연히 전가였다.

아니나 다를까. 한 중년인의 눈빛이 매섭다 못해 살벌하기까지 했다. 전가의 가주는 아니었지만 가주와 동석을 하는 것만 봐도 상당히 높은 위치에 오른 자임에는 틀림이 없었다.

다행히 윤회의 불안은 현실로 이어지지는 않았다. 중년인이 시선을 돌렸기 때문이다.

'후우…….'

윤회가 가슴을 쓸어내릴 때였다. 객잔 안으로 한 무리의 사람들이 들어섰다.

무심결에 고개를 돌리던 윤회의 눈빛이 한순간 적개심으로 번뜩였다.

서북무림의 사람들이었던 것이다.

그것도 숙적이자 원수라고 할 수 있는 벽력가의 가주이자 서북무림의 주군인 위연광, 그가 들어서고 있었다.

윤회는 연후를 돌아봤다.

하지만 연후는 눈을 감은 채 앉아 있었다.

한편 호위들의 경호를 받으며 들어서던 위연광은 연후와 일행들을 발견하곤 안광을 번뜩였다.

그는 연후의 얼굴을 알지 못했다. 그럼에도 연후가 철혈가의 이공자라는 것을 곧장 알아차릴 수 있었다. 그의 곁에 있는 윤회 때문이었다.

서북무림에서 윤회를 모르는 사람은 없었다.

수년간 이어진 전쟁에서 윤회로 인해 입은 피해가 결코 적지 않은 탓에, 서북무림의 무인이라면 모두 그에게 이를 갈았다.

기껏해야 서른 정도밖에 되지 않은 이가 그 윤회 앞에서 저렇게 앉아 있을 수 있다는 것은 그가 누구인지 충분히 짐작케 하는 부분이었다.

그뿐만이 아니었다.

'닮았군.'

가늘게 뜬 눈으로 연후의 모습을 살피던 위연광은 고개를 주억거렸다.

선주 이염과 매우 닮은 얼굴을 확인한 그는 연후가 철혈가의 이공자임을 확신했다.

'……그렇다면 뇌검이 실패했단 말인가?'

위연광이 슬며시 눈빛을 가라앉힐 때, 전가 쪽에서 굵직한 음성이 울렸다.

"위 가주가 아니시오?"

칼날처럼 날카로운 인상의 중년인.

그가 바로 전가의 가주이자, 남해군도의 주군인 적인회(赤仁恢)였다.

그를 본 위연광이 정중한 어조로 인사를 건넸다.

"오랜만에 뵙소이다, 가주."

"벌써 이 년이 흘렀으니 오랜만이라 할 수도 있겠구려. 그나저나 이번은 꽤 빨리 오셨소이다."

"예. 따로 볼일이 있어서요. 그러는 가주께서는 어찌 이리 빨리 오셨소?"

"대지존께서 따로 자리를 갖고 싶다 하셔서 빨리 오게 되었소이다. 하면 좋은 시간 되시오."

적인회가 더 이상의 대화를 일축하자 위연광은 연후를 힐끗 쳐다보고는 자리로 가서 앉았다. 그런 그의 귓속으로 한 줄기 전음이 흘러들었다.

[가주, 접니다.]

뇌검의 목소리였다.

고개조차 돌리지 않는 위연광의 귓속으로 뇌검의 전음이 이어졌다.

[자리를 다른 곳으로 바꾸시지요. 놈을 공격할 때 궤적에 방해가 됩니다.]

위연광의 두 눈이 빠르게 객잔 안을 훑고 지나갔다. 그러다가 창가 구석진 곳에 앉아 있는 세 명의 백포인을 발견하고는 미간을 슬며시 찡그렸다.

[아둔한 놈. 이곳에 어떤 사람들이 있는지 모르고 하는 소리냐.]

[그렇지만 이곳이 최적의 장소입니다. 누구도 여기서 암습을 할 거라는 생각은 하지 못할 테니까요.]

[안 된다면 안 되는 줄 알고 그만 물러서라. 시간은 많으니 보다 확실한 기회를 노리도록 해.]

노기가 담긴 전음에 백포인 중 한 명이 나지막이 한숨을 내쉬었다.

인피면구를 이용해 변장을 한 뇌검이었다.

'하필이면 이때 오시다니…….'

그는 위연광을 힐끗 쳐다보고는 자리에서 일어나 입구로 향했다. 다른 백포인들이 뒤를 그의 뒤를 따랐다.

공교롭게도 입구로 가려면 연후의 옆을 지나가야 했는데, 뇌검은 아랑곳하지 않고 걸음을 떼었다.

그는 걸어가면서 연후를 힐끗 살폈다.

물그릇을 박살 낸 이후 지금껏 감은 눈을 뜨지 않고 있는 연후였다.

자신의 예상대로 연후는 완전히 방심하고 있었다. 윤회와 호위로 보이는 두 명도 마찬가지였다.

하지만 뇌검은 충동을 억눌러야 했다. 아무리 완벽한

기회라지만 주군의 명을 거역할 순 없는 노릇이었다.

'운이 좋은 놈이군. 하지만 곧 그 운도 다하게 될 것이다. 나, 뇌검에 의해서…….'

결국 뇌검은 연후의 곁을 지나 입구를 통해 계단으로 내려섰다.

연후가 눈을 뜬 것은 바로 그때였다.

동시에 조금 전에 물그릇이 깨지면서 탁자 위에 남아 있던 물 몇 방울이 한순간 수증기로 화해 안개처럼 흩어지더니 뇌검과 백포인들 주변에 이르러 감쪽같이 사라졌다.

연후는 위연광을 응시하며 흐릿하게 웃었다.

6장

뜻밖의 사건

'지체 높은 인간들은 원래 이런가?'

객잔의 분위기는 조용하다 못해 정적마저 흘렀다. 저마다 술과 요리로 식사를 하고 있었지만 최소한의 소음을 제외하면 누구도 대화를 나누거나 하지 않았다.

정적은 검가의 사람들이 들어서면서 깨졌다.

무심결에 입구를 돌아본 연후는 북궁천과 북궁소혜를 발견하고는 반가운 마음이 들었다.

비록 위선과 가식을 떨어 가면서 맺은 인연이지만 벽력가나 전가의 사람들과는 느낌부터가 달랐다.

'표정이 어째 저 모양이지?'

그때, 연후의 눈에 뒤에서 들어서는 한 중년인이 들어

왔다.

북궁천과 흡사한 용모에 전가의 사람들만큼이나 칼 날 같은 예기를 품은 그가 검가의 가주 북궁소라는 것쯤은 쉽게 짐작할 수 있었다.

'검신 북궁소.'

절대고수들의 세상이라고 불릴 만큼 강자들이 넘쳐 나는 작금의 무림에서도 다섯 손가락 안에 든다는 그의 등장은 객잔의 분위기를 단숨에 바꿔 놓았다.

조용함에서 보다 더 무거운 쪽으로.

피식.

'쳐다보는 눈빛들 하고는.'

연후는 실소를 머금었다.

명색이 백야벌의 수호가라 불리는 팔대가문인데 서로를 쳐다보는 눈빛은 적이라 해도 과언이 아닐 정도로 차갑고 냉담했다.

'하긴, 언제든 서로를 잡아먹을 기회만 노리고 있으니 당연한 걸지도. 우리와 서북무림처럼…….'

연후는 술잔을 들어 입으로 가져가며 북궁천을 응시했다. 그런데 그의 표정이 무겁다 못해 음울하기까지 했다.

둘의 시선이 허공에서 얽혀들었다.

하지만 북궁천은 살짝 목례만 취할 뿐, 연후를 그냥 지나쳤다. 그건 북궁소혜도 마찬가지였다.

연후는 북궁소의 깊게 가라앉은 눈빛이 자신을 훑고 있다는 것을 느꼈지만 아랑곳하지 않고 빈 잔에 술을 채웠다.

쪼르륵.

검가의 사람들은 객잔의 가장 깊숙한 곳에 자리를 잡았다. 그 와중에 누구도 그들에게 인사를 건네거나 아는 척을 하지 않았다.

연후는 윤회에게 물었다.

[원래 이렇소?]

[뭐가 말입니까?]

[서로 소닭 보듯 하는 거 말이오.]

[다 그런 건 아니지만 검가와 전가, 벽력가는 그다지 사이가 좋지 못합니다. 특히 검가와 전가는 수차례 국지전을 벌이며 완전히 앙숙이 되어 버렸습니다. 아무래도 지배 지역이 일부 겹치다 보니 그런 것 같습니다.]

윤회의 말을 들으면서 연후는 문득 이런 생각을 해 봤다.

'팔대가문이 힘을 보아 백야벌에 도전한다면 어떻게 될까?'

하지만 답은 쓴웃음이었다.

서로 못 잡아먹어서 안달인 팔대가문이 하나가 된다는 것 자체가 불가능한 일이었다.

그때였다.

까가강!

콰콱!

돌연 객잔 밖에서 싸우는 소리가 요란하게 울렸다. 뒤이어 단말마도 이어졌다.

"으악!"

"크악!"

난데없는 비명성에 객잔 안의 사람들이 저마다 창가로 몰려들었다.

"엇!"

경악성을 터트린 것은 전가의 무사였다. 그가 적인회를 돌아보며 외쳤다.

"본 가의 수행단입니다!"

* * *

객잔 앞 도로.

두 구의 시신이 피를 흘리며 쓰러져 있는 가운데 스무 명 남짓한 전가의 무사들이 검진을 형성한 채 백포인들을 에워싸고 있었다.

백포인들은 뇌검을 비롯한 그의 수하들이었다.

뇌검의 수하 한 명도 중상을 입었는지 피를 흘리며 숨을 헐떡이고 있었다.

"감히 우리가 누군지 알고……."

삼십대 중반쯤 되어 보이는 전가의 무사 하나가 뇌검등을 향해 검 끝을 겨누며 싸늘히 외쳤다.

'빌어먹을.'

뇌검은 지금의 상황이 무척 당혹스러웠다.

객잔을 나서다가 누군가와 어깨를 부딪친 수하 하나가 준비한 계획이 수포로 돌아가며 화가 치밀어 있던 탓에 감정을 억누르지 못하고 상대의 목을 베어 버렸다.

그런데 하필이면 그 상대가 전가의 무사였던 것이다.

'벌의 권역 내에서 피를 보는 것은 누구든 엄격히 금하고 있다. 이대로 우리 정체가 드러나면 자칫 주군과 주군가가 곤경에 처할 수도 있다.'

자신들의 정체가 드러나선 결코 안 됐다.

정체가 발각된다면 전가와의 관계가 틀어지는 건 물론이고, 대지존의 화를 살 것이 분명했다.

'일이 커지기 전에 빠져나가야 한다.'

하지만 결코 쉬운 일이 아니었다. 자신은 둘째 치고,

수하들의 실력으로 보나마나 전가의 포위망을 뚫지 못하고 모조리 죽고 말 것이다.

상대가 다른 곳도 아닌 전가이지 않은가.

휘리릭.

한 줄기 바람과 함께 장내로 떨어져 내리는 이가 있었다. 전가의 대공자 적룡이었다.

"어찌 된 일이냐."

"놈들이 다짜고짜 동료를 죽였습니다."

적룡의 물음에 한 무사가 다가오며 답했다.

적룡의 눈에서 불꽃이 일더니 무사의 뺨을 후려갈겼다.

짝!

"그랬으면 바로 죽였어야지."

"……죄송합니다."

적룡의 두 눈이 살광을 품었다.

이미 잔혹하기로 천하에 소문이 자자한 그가 천천히 검을 뽑아 들자 주변 공기가 더욱더 싸늘히 얼어붙었다.

스르릉.

"감히 전가의 무사들을 해하다니. 어디서 왔기에 그리도 배짱이 두둑한지 궁금하군."

번쩍!

말이 끝남과 동시에 적룡의 몸에서 섬광이 일었다. 섬광은 마치 빛살처럼 뇌검을 향해 날아들었다.

하지만 마지막 순간에 궤적을 바꿔 뇌검의 수하를 덮쳤다.

퍽!

“크악!”

뇌검의 뒤에 서 있던 백포인의 머리가 형체도 없이 사라졌다.

“정체를 밝혀라. 하면 고통 없이 죽여 주마.”

허공을 흩날렸던 피가 얼굴을 붉게 물들였지만 뇌검은 숨조차 죽인 채 적룡의 얼굴을 직시했다.

눈빛은 여전히 살아 있었지만 절망이라는 괴물이 이미 그의 내면을 잠식해 들어가고 있었다.

은신술을 펼칠 수 있는 공간이라면 모를까, 이런 식으로 사방이 탁 트인 환경에서 적룡까지 나선 전가의 포위망을 돌파한다는 건 불가능한 일이었다.

‘빌어먹을…….’

한순간의 갈등으로 인해 자신이 빠져나갈 기회마저 상실하고 만 것이다.

이제 남은 것은 두 가지 방법뿐.

하나는 죽음을 각오하고 이곳을 빠져나가려는 시도를

하든가, 아니면 위연광이 나서서 해결을 해 주든가.

뇌검의 선택은 전자였다.

'주군께 폐를 끼칠 순 없다. 돌파를 시도하고 안 되면…… 자결로 비밀을 지킨다.'

그때였다.

[어리석은 놈. 일을 이 지경으로 만들다니…….]

귓속을 파고드는 한 줄기 전음.

위연광의 목소리였다.

[네 정체가 드러나면 이후에 본 가에 불어 닥칠 후폭풍이 만만찮을 것이다. 그건 누구보다 본 가를 사랑했던 너도 바라지 않을 터. 하니 그만 떠나라. 네 동생은 잘 보살펴 줄 테니 걱정 말고.]

파르르…….

흔들리는 뇌검의 눈빛이 변화를 일으키고 있었다.

* * *

'일이 이런 식으로 흘러가다니…….'

창밖을 내려다보던 연후는 묘한 미소를 머금었다.

그는 전가에게 포위를 당한 백포인들이 자신을 암살하려 했던 자들임을 이미 알고 있었다.

그랬기에 객잔에 들어섰을 때부터 그들을 주시하고 있었고, 곁을 지나갈 때 그중 한 놈에게 모종의 조치를 취해 둔 상태였다.

연후는 위연광을 슬쩍 쳐다봤다.

하지만 그는 마치 밖의 일은 관심이 없다는 듯 묵묵히 술잔만 기울이고 있었다. 뿐만 아니라 벽력가의 누구도 밖으로 나서지 않고 있었다.

'버리겠다는 건가? 하긴 혹시라도 놈의 정체가 드러나면 아주 곤란해지겠지. 당장은 백야벌의 조사를 받게 될 테고, 전가와의 관계도 틀어지게 될 테니까.'

연후는 다시 거리를 내려다봤다.

마침 궁지에 몰린 백포인이 이쪽을 올려다보고 있었다. 그런 그의 눈에 어린 절망과 분노를 연후는 똑똑히 볼 수 있었다.

'역시 버려졌군.'

버려진 자의 슬픔과 분노.

연후는 저 마음을 누구보다 잘 알고 있었다. 그것은 지금까지 단 한순간도 잊어 본 적이 없는, 지워 내려 해도 절대 지워 낼 수 없던 크나큰 상처로 가슴 깊숙한 곳에 남아 있었다.

지금 저 백포인의 눈빛은 그때의 자신과 다르지 않았다.

'이러면 계획을 수정할 수밖에.'

[서백.]

서백이 연후를 돌아봤다.

연후는 그에게 해야 할 일을 짤막하게 말해 주었다. 서백이 먼저 일어나 객잔을 빠져나갔다.

뒤이어 연후도 자리에서 일어났다.

"뒷간에 좀 다녀오겠소."

* * *

뇌검은 억장이 무너져 내리는 기분이었다.

차라리 위연광이 아무 말도 하지 않았더라면 벽력가를 위해, 서북무림을 위해 기꺼이 내주려 했던 목숨이다.

그러자고 결심까지 했었다.

'내가 지금껏 당신과 주군가를 위해 어떻게 살았는데…….'

뇌검은 배신감에 치를 떨었다.

죽음을 강요하면서 자신을 나무라는 위연광의 태도를 그는 도저히 받아들일 수가 없었다. 차라리 미안하다는 말 한 마디를 해 줬더라면 기꺼이 목숨을 내놓았을 것이다.

화아악.

뇌검의 전신에서 강렬한 기운이 뻗쳐 나가자 적룡은 싸

늘히 웃었다.

"고통을 자초하겠다면 어쩔 수 없지. 사로잡아 강제로 입을 열 수밖에."

우우웅!

적룡의 검이 시퍼런 빛을 둘러 갔다.

고수들의 전유물인 검강(劍綱)이었다.

뇌검은 적룡의 검을 보며 지그시 입술을 깨물었다.

'무슨 일이 있어도 살아서 빠져나간다.'

꽉 깨문 입술에서 피가 뚝뚝 떨어졌다.

그때였다.

한 줄기 무심한 목소리가 뇌검의 귓속을 흔들었다.

[너와 거래를 할까 하는데…… 응하겠다면 눈을 두 번 깜박거리면 된다. 그럼 넌 살 수 있다.]

"……!"

뇌검에게 목소리의 주인이 누군지는 중요하지 않았다. 무슨 거래인지도 궁금하지 않았다.

그저 여기서 살아 나갈 수만 있다면 악마에게 영혼이라도 팔 수 있었다.

'살 수만 있다면…….'

뇌검은 눈을 두 번 깜박거렸다.

[좋아. 거래는 성사된 걸로 하지.]

뇌검은 닥치고 빨리 시작하라 외치고 싶었다.

[셋에 좌측으로 몸을 날린 다음 뒤도 돌아보지 말고 죽을힘을 다해 뛰어라. 그럼 널 기다리는 사람이 있을 거다.]

하나, 둘…… 셋.

쐐애액!

파공성과 함께 무엇인가가 뇌검과 적룡의 가운데로 엄청난 속도로 떨어져 내렸다.

뒤이어 폭음과 함께 핏빛 연기가 피어올랐다.

쾅!

뇌검은 즉시 혼신의 힘을 다해 땅을 박차고 뛰어올라서는 좌측으로 방향을 틀었다. 아직 핏빛 연기가 미치지 않은 서쪽에 포진했던 전가의 무사들이 그를 향해 달려들었다.

뇌검의 검이 강기를 뿜으려 할 때였다.

번쩍!

뇌검은 전가의 무사들 뒤쪽에서 일어나는 두 줄기 혈광을 보았다. 혈광은 마치 살아 있는 생명체처럼 허공을 가르고 들어와 그대로 전가의 무사들을 관통했다.

퍼퍽!

"컥!"

"으악!"

뇌검은 허공에 뿌려진 피안개를 뚫고 그대로 어둠 속으로 몸을 날렸다.

"쫓아라!"

"서쪽이다!"

뇌검을 쫓아 일제히 몸을 날리는 전가의 고수들.

선두에 적룡이 있었다.

수하들이 죽어 나가는 광경을 목전에서 봐 버린 그의 두 눈은 지독한 살기로 넘실거리고 있었다.

"감히……."

뇌검은 수하들의 처절한 비명을 뒤로하고 미친 듯이 달렸다.

그렇게 현장에서 제법 떨어진 곳에 이르러 은신술을 펼치고는 뒤를 살폈다. 적룡과 전가의 고수들이 달려오고 있었지만 뇌검은 더 이상 움직이지 않았다.

작정하고 은신술을 펼치면 누구에게도 발각되지 않을 자신이 있었다.

휘릭! 휘릭!

적룡과 전가의 고수들이 뇌검의 앞을 바람처럼 휙휙 지나갔다.

꽈악.

뇌검은 어금니를 악물었다.

'어쩌다가 이렇게 되었을까.'

회한이 사무치며 올라왔다.

철혈가의 이공자를 죽이라는 명령을 받고 벽력가를 나섰고, 지금껏 모든 것이 순조로웠다.

수하 몇 명을 잃었지만 그 역시도 작전의 일환이었고, 상대의 방심을 이끌어 낼 최적의 장소까지 쫓아가는 데 성공했다.

그곳에 위연광이 나타나지만 않았더라면 지금쯤 작전을 완수했을 것이다.

어리석은 놈.

위연광의 목소리가 머릿속에서 떠나지 않았다. 이미 하늘은 무너졌고 충성심 대신 지독한 한이 가슴을 꽉 채우고 있었다.

그때였다.

"어이, 거기."

갑자기 뒤에서 울린 음성에 뇌검은 두 눈을 부릅뜨며 검파에 손을 얹으며 돌아섰다.

소년처럼 해맑은 청년이 서 있었다. 그를 똑바로 쳐다보면서.

서백이었다.

'내 은신술을 간파하다니…….'

뇌검은 경악했다.

적룡조차도 피해 냈던 은신술이다. 지금도 은신술은 유효했고, 절대고수가 아니면 절대 발견하지 못할 거라는 믿음이 있었다.

그런데 저 청년은 자신을 똑바로 쳐다보며 해맑게 웃고 있었다. 더 놀라운 것은 그가 자신이 죽이고자 했던 연후와 함께하던 자라는 사실이었다.

'그럼 나를 살려 준 자가…….'

그때 서백이 코를 실룩거렸다.

"역시 추종향은 향기롭단 말이지."

'추종향이라니…… 도대체 언제 내 몸에 추종향을 뿌렸단 말인가.'

"놀란 토끼처럼 굴지 말고 일단 안전한 곳까지 가야 하지 않을까? 괜히 여기서 얼쩡거리다가 발각되면 나도 더는 못 도와줘."

"……."

"따라와. 아! 미리 말하는데 우리 주군은 전가의 칼잡

이들보다 몇 배는 더 무서운 분이셔. 그러니 허튼 생각은 하지 않는 게 좋을 거야."

서백이 앞서 움직였다.

뇌검은 옆을 따라붙으며 물었다.

"왜 나를 구해 주는 것이냐!"

"솔직히 나도 궁금해. 주군이 왜 너 같은 인간을 구해 주셨는지. 그리고 네가 응했으니 도와주신 거잖아. 아니야?"

"……."

"살고 싶어서 응했으면 군말 말고 따라오기나 해. 그리고 한 번 더 경고하는데…… 우리 주군을 화나게 하면 생지옥이 뭔지 온몸으로 깨닫게 될 거야."

뇌검은 서백의 뒤를 따르며 내심 갈등했다.

'그냥 이놈을 죽이고 사라지면…….'

"아, 하나 잊은 게 있었네."

"……."

"너 중독됐어. 때가 되면 온몸의 뼈가 서서히 녹아들면서 죽는 지독한 거라고 하시던데……. 뭐, 네가 허튼 수작만 부리지 않으면 주군께서 알아서 해독해 주실 거니까 걱정할 건 없고."

파르르…….

순간 뇌검은 깨달았다.

뭔가 잘못되어도 단단히 잘못되었다는 것을.

* * *

저잣거리를 한바탕 시끄럽게 만들었던 소란이 가라앉자 사람들이 흩어지기 시작했다.

뒷간을 간다는 핑계로 뇌검의 탈출을 돕고 돌아온 연후는 술잔을 입으로 가져가며 위연광을 응시했다.

그는 처음부터 지금까지 쭉 자리에 앉아 술잔을 기울이고 있었다. 마치 밖의 소란이 자신과는 무관한 것임을 말하는 것처럼.

그래서일까?

전가의 무사들에 의해 수하들이 죽어 가면서 지른 비명에도 그는 표정 하나 변하지 않았다.

'그래. 그 정도는 되어야 무너뜨릴 맛이 나지.'

연후는 전가의 탁자로 시선을 돌렸다.

그곳 역시 크게 다를 바가 없었다. 수하들이 죽어 나갔음에도 적인회는 측근들과 담담하게 대화를 나눌 뿐이었다.

'팔대가문의 수장이 되면 이런 상황에서도 남에게 어떻

게 비쳐질지 그것만 생각하는 건가? 그래서 그렇게 무게를 잡고 있는 거면…….'

연후는 피식 웃었다.

어떻게 보면 거물다운 태도라 생각할 수도 있겠지만, 그의 눈에는 그저 권력의 정점에 오른 자의 허세처럼 보였다.

[저자는 그냥 놔두실 겁니까?]

철우의 전음이었다.

[죽이자는 말을 하고 싶은 거냐?]

[주군의 원수이지 않습니까. 그럼 당연히…….]

[모든 일에는 순서가 있는 법이다. 그 순서가 뭔지는 차차 알게 될 테니 밥이나 먹어.]

[……예.]

한편 윤회는 이 자리가 불편해 죽을 지경이었다. 철천지원수나 다름없는 서북무림과 언제나 경계의 대상인 전가, 그리고 검가까지.

천하를 호령하는 여덟 가문 중에서 무려 네 곳의 주군이 한 객잔 안에, 그것도 같은 층이라는 좁은 공간에 모여 있지 않은가.

그런데 연후는 그 사이에서도 무심하고 담담한 태도를 일관했다.

'한 치의 흔들림도 없으시다.'

지금껏 연후에게 수도 없이 감탄을 해 왔던 윤회지만 지금의 이 강철 같은 단단한 모습이 가장 마음에 들었다.

이러한 모습은 결코 꾸민다고 꾸며지는 것이 아니었다.

윤회는 새삼 궁금했다.

과연 연후는 지금껏 어떤 삶을 살아왔을까. 어떤 삶을 살아왔기에 저토록 무심하고 강인할 수 있는 걸까.

"총사."

"예?"

"그만 일어납시다."

"아, 예. 그러시지요."

윤회는 속내를 들킨 소녀처럼 살짝 얼굴을 붉히며 자리에서 일어났다.

그때였다.

두 명의 청포인이 안으로 들어섰다. 그중 한 명이 이쪽을 쳐다보며 다소 냉담한 어조로 말했다.

"벌에서 나왔습니다. 조사할 게 있으니 잠시 자리에 앉아 주십시오."

모두가 청포인들을 주목했다.

연후도 벗어 놓았던 장포를 걸치며 그들을 응시했다.

객잔 안을 한 차례 둘러본 청포인이 전가의 사람들이 앉아 있는 곳을 향해 말했다.

"이 도시는 누구든 생사투를 불허하는 벌의 직속령입니다. 해서 밖에서 벌어진 일에 대한 해명을 들어야겠습니다."

적인회의 측근 하나가 대답했다.

"불순한 자들이 본 가의 무사들을 해쳤소. 그에 본 가의 대공자를 비롯한 무사들이 흉수를 찾아 나섰을 뿐이오."

"가주께서 직접 답을 해 주셔야겠습니다."

"이보시오. 지금……."

적인회가 발끈한 측근을 저지하며 담담히 입을 열었다.

"이 사람의 말이 사실이니 그리 아시게."

"알겠습니다."

머리를 조아린 청포인이 이번에는 검가의 사람들이 있는 곳을 쳐다봤다.

북궁소가 나섰다.

"본 가는 무관하네."

다음은 벽력가 차례였다.

연후는 위연광을 직시했다.

'뻔한 답을 하겠지.'

"본 가 역시 무관하네."

예상했던 대로 위연광은 발뺌을 했다. 다음은 철혈가의 차례였다.

연후는 젓가락을 들어 보이며 대답했다.

"우린 밥만 먹었소."

"철혈가의 이공자이십니까?"

'나를 알고 있다?'

연후가 내심 살짝 놀랄 때, 청포인이 윤회를 응시하며 물었다.

"윤 총사께 묻겠습니다. 이분의 답변을 철혈가의 공식 입장으로 인정해도 되겠습니까?"

"본 가의 가주이자, 북부무림의 주군이 되실 분이니 그렇게 하시오."

"알겠습니다. 하면 네 가문을 제외한 다른 분들은 모든 조사가 끝날 때까지 이곳에 남아 주셔야겠습니다. 혹시라도 조사에 불응하면 벌의 법규에 따라 처벌됨을 미리 알려 드리겠습니다."

말이 끝나기가 무섭게 연후는 자리에서 일어나 계단으로 향했다.

백야벌에서 나온 두 청포인이 좌우로 살짝 물러서며 머

리를 숙였다.

그들에게서 전해지는 비범함에 연후는 내심 감탄했다. 철혈가의 무사들과 비교하니 눈빛이나 분위기부터가 확연히 차이가 났다.

"수고하시오."

"감사합니다, 공자."

"다음에 볼 때는 호칭을 바꿔야 할 거요."

"……."

연후와 일행들이 가장 먼저 객잔을 빠져나갔다. 그 모습을 지켜보던 다른 세 가문의 수장은 제각각의 표정을 지었다.

적인회와 북궁소는 의외라는 표정을, 위연광은 대놓고 드러내진 못했지만 눈동자 깊숙한 곳에 은은한 살기를 담고 있었다.

그로서는 이 상황이 화가 날 뿐이었다. 연후를 죽이겠다는 계획이 수포로 돌아갔음은 물론이고, 아까운 뇌검마저 잃었다.

그때 적룡이 돌아왔다.

적인회가 대뜸 물었다.

"어찌 되었느냐?"

"한 놈을…… 놓쳤습니다."

"이런 못난……."

"죄송합니다."

위연광의 표정이 변한 것은 바로 그때였다.

'놓쳤다니…… 하면 뇌검이 빠져나갔단 말인가?'

믿을 수가 없었다. 적룡이 비록 나이는 어리지만 세상이 아는 고수였다. 게다가 그와 함께 수십 명에 달하는 전가의 고수들이 포위망까지 펼치고 있었다.

아무리 뇌검이라도 은신술을 펼칠 수 없는 상황에서 빠져나간다는 것은 불가능하다고 봤었다.

'이런…….'

위연광으로서는 차라리 죽은 것만 못한 상황이 되어 버렸다. 자신은 그에게 죽음을 명했다. 과연 그것을 뇌검이 어떻게 받아들였을까.

[세가에 전서를 보내 뇌검의 동생을 옥에 가두고 철저히 지키라고 전하거라.]

* * *

곧장 도시를 빠져나갈 것처럼 하던 서백이 인근에서 가장 높은 건물의 지붕으로 올라섰다.

뇌검이 물었다.

"이곳이 안전한 곳이오?"

"기다려 봐. 할 일이 아직 남았으니까."

서백이 어깨 위의 대궁을 내리고 살도 한 발 준비하자 뇌검은 미간을 찡그렸다.

씩.

이를 드러내며 웃는 서백이었다.

"나도 그냥 주군이 시키는 대로 하는 거야."

"뭘 시켰다는 거요?"

"몰라. 그냥 이쯤에서 기다리고 있다가 새 한 마리 날아가면 쏴 버리라고 하시더라."

그때였다.

서백이 눈빛을 발했다.

"정말이네?"

뇌검의 고개가 서백의 시선을 좇아 돌아갔다. 조금 전까지 자신들이 머물렀던 객잔의 하늘 위로 새 한 마리가 날아오르고 있었다.

더 놀라운 것은 새가 정확하게 이쪽으로 날아오고 있다는 점이었다.

끼끼끼…….

시위가 팽팽하게 당겨졌다.

뒤이어 소리 없이 날아간 화살은 정확하게 새를 명중했다.

뇌검은 내심 놀랐다.

화살로 새를 맞추는 것은 그다지 놀라울 것도 없었다. 하지만 화살을 맞은 새가 정확하게 자신들이 서 있는 곳으로 떨어지고 있었다.

서백이 가볍게 손을 휘젓자 몸통의 반이 날아가 버린 새의 사체가 그의 손으로 떨어졌다.

척!

'이건…….'

뇌검은 눈빛을 떨었다.

새의 다리에 작은 연통이 달려 있었는데, 바로 벽력가가 사용하는 것이었다.

"전서구였네?"

"내가 풀어 보겠소."

"기다려."

서백은 새의 다리에서 연통을 끌러 안에 돌돌 말려 있던 종이를 펼쳤다.

탁!

"이런……."

내용을 확인한 서백은 뇌검을 바라보며 코끝을 실룩거렸다.

"쩝. 아무래도 네가 봐야 할 것 같다."

뇌검은 서백이 건넨 종이를 펼쳤다.

뇌검의 동생을 당장 옥에 가두고 철저히 감시…… 後略.

파르르…….

손끝의 떨림이 이내 전신으로 번져 나갔다.

서백이 그런 뇌검을 빤히 쳐다보더니 손가락으로 콧구멍을 후비며 심드렁하게 말했다.

"너 때문에 벽력가까지 가게 생겼잖아."

뇌검은 말이 없었다. 그저 치미는 분노에 몸을 떨 뿐이었다.

서백의 이어진 한마디가 그의 가슴을 비수처럼 파고들었다.

"너희 주군이라는 인간이 참 못됐네, 못됐어. 아무리 그래도 죄 없는 가족한테까지 이러면 쓰나. 쯧쯧쯧."

* * *

'엄청나군.'

연후는 눈앞에 펼쳐진 백야벌의 장엄한 광경에 감탄했다. 칼날처럼 솟아오른 절벽이 병풍처럼 산허리를 둘렀고, 거대한 전각들이 절벽과 절묘하게 조화를 이룬 채 마치 꽃처럼 늘어서 있었다.

"인간의 힘으로 저게 가능합니까?"

그 규모와 장엄함은 어지간해서는 속내를 드러내는 법을 모르는 철우조차 넋을 놓고 바라보게 만들었다.

"올 때마다 저 장엄함에 저절로 머리가 숙여지는 기분입니다."

윤회가 연후를 돌아보며 물었다.

"보시니 어떻습니까?"

"한 세력의 근거지로 더할 나위 없이 완벽한 곳인 것 같소."

"……."

윤회의 두 눈이 이채를 발했다.

더불어 부끄러움이 밀려들었다. 그저 장엄한 광경에 취한 자신들과는 달리, 연후는 완전히 다른 생각으로 백야벌을 바라보고 있었던 것이다.

부끄러움의 끝은 흡족함이었다.

'확실히 다르다. 이분은…….'

한편 연후는 백야벌의 곳곳을 바라봤다.

산허리쯤에 포진한 전각은 직벽(直壁)에 가까운 절벽이 천연의 방어막 역할을 해 주고 있었고, 그곳으로 향하는 계단은 고수 한 명이 만 명의 적을 막아 낼 수 있을 만큼 좁고 가팔랐으며 높았다.

연후의 시선이 한 곳에 이르러 기광을 머금었다.

다른 전각들보다 몇 배는 더 거대한 깃발이 나부끼고 있는 백색의 성.

처음 와 본 사람이라도 그곳이 대지존의 거처임을 충분히 짐작할 수 있었다.

'저곳에서 내려다보는 세상은 과연 어떨까.'

절대권좌에 올라 강호를 관조하는 대지존.

그리고 그와 함께 하는 수많은 고수들은 강호를, 또한 무림이라는 세계를 어떤 눈으로 내려다보고 있을까.

'지켜본다고 해야 옳겠군. 적어도 지금까지는 그럴 자격이 있으니까. 하지만…….'

연후는 웅장해지려는 가슴을 달래며 주변으로 시선을 돌렸다.

성문을 향하는 길 위는 그야말로 인산인해였다.

대부분이 무림인들이었지만 무기를 소지한 사람은 거의 찾아볼 수가 없었다. 첫 관문이라 할 수 있는 도시에서 이미 해검(解劍)을 한 탓이었다.

"무기를 소지한 사람들은 대부분 강호의 거물급 인사들이라고 보시면 됩니다. 물론 그들도 성문을 넘어서기 전에는 모든 무기를 해검해야 합니다."

"대지존이 겁이 많은 모양이오."

"주군…… 말씀을 조심하셔야 합니다. 어디에 벌의 사람들이 있을지 모릅니다."

"알겠소."

연후가 질색을 하는 윤회를 향해 슬쩍 웃어 주고 나아가려 할 때였다.

"동감이에요."

뒤에서 한 줄기 청아한 음성이 울렸다.

눈처럼 흰 백의에 머리카락을 두 갈래로 땋아서 허리까지 늘어뜨린 미모의 여인이었다.

그녀가 연후를 향해 상아처럼 흰 치아를 드러내며 말을 이었다.

"무림인들더러 무기를 풀라고 하는 건 팔 하나를 떼어 놓고 가라는 건데, 뭐 어쩌겠어요. 천하의 대지존께서 만드신 철칙이라니 따를 수밖에요."

여인은 연후가 뭐라 말을 하기도 전에 해죽 웃어 보이고는 인파 속으로 사라졌다.

피식.

'도둑질을 하는 미녀라…….'

"손재주가 제법인 계집입니다."

"봤나?"

"예. 삼십 장을 걸어가면서 다섯 명의 품속에서 뭔가를 꺼냈습니다. 한데 왜 그냥 보내 주셨습니까?"

"이 정도면 팔을 자를 대가로 충분한 것 같은데."

철우의 물음에 연후는 수중의 뭔가를 던졌다.

철그럭.

철우가 낚아챈 것은 꽃무늬로 가득한 전낭이었다.

"들어갔다 나올 동안에 혼자 있으려면 심심할 테니 그걸로 어디 가서 옷이나 사 입도록 해. 식사도 그럴듯한 것으로 하고, 말들도 배불리 먹이도록 해."

철우는 내심 감탄했다.

여인이 연후의 품속을 노리는 것은 똑똑히 봤지만 연후가 그녀의 전낭을 빼내는 것은 전혀 보질 못했던 것이다.

'하긴, 내 눈을 속이는 것쯤은 아무것도 아니지.'

철우는 전낭을 슬쩍 열었다.

'많이도 훔쳤네.'

그다지 크지 않은 전낭이었지만 그 속을 채우고 있던 것은 죄다 금이었다. 온갖 보석이 박혀 있는 팔찌도 하나 있었다.

"그만 가지."

"예."

연후는 성문을 향했다.

성문이 가까워질수록 인파가 갈라지기 시작했다. 소속 문파와 신분에 따라 들어서야 하는 길이 달랐던 까닭이다.

그렇게 얼마를 더 걸었을까.

무사 두 명이 다가왔다.

"여기서부터는 저희들이 모시겠습니다."

무사들은 연후가 누군지 알고 있는 듯했다.

'용모파기라도 돌렸나? 아니면 세가에서 벌과 내통하는 자가 있기라도 한 건가?'

아니면 자신의 얼굴을 알 리가 없었다.

연후는 무사들을 따라 걸었다. 가면서 주변을 살펴보니 전가와 검가, 벽력가도 별도의 길을 통해 성문을 향하고 있었다.

잠시 후, 연후는 거대하기 짝이 없는 성문 앞에서 걸음을 멈췄다.

무사가 공손히 말했다.

"해검을 하셔야 합니다. 그리고 한 분만 함께 들어가실 수 있습니다."

"급히 오다 보니 초청장이 없는데 괜찮겠소?"

"예. 저희들은 모시라는 명령만 받았을 뿐입니다."

무사의 대답에 연후는 확신했다. 백야벌에서 자신을 지켜보고 있다는 것을.

연후는 순순히 검을 끌러 무사에게 건넸다. 윤회도 검을 끌렀다.

철그럭.

"그만 가 봐."

"다녀오십시오."

연후와 윤회는 철우를 남겨 두고 성문을 넘었다.

성문 너머는 허락된 소수만이 넘을 수 있는 곳이라 그런지 한산하다 못해 썰렁할 지경이었다.

[뭔가 조금 이상합니다. 환갑연치고는 너무 조용한 것 같습니다만…….]

연후가 윤회의 전음에 답을 하려고 할 때였다.

전방에서 청포를 걸친 중년인과 몇 명의 무사들이 모습을 드러냈다.

"호법을 뵙습니다."

연후를 안내하던 무사들이 머리를 조아리고 옆으로 물러섰다.

호법이라 불린 청포인이 연후를 향해 포권을 취하며 살짝 머리를 숙였다.

"철혈가의 공자신지요?"

"그렇소."

"호법 나태보가 공자를 뵙습니다."

"이연후라고 하오."

백야벌의 호법이면 거물이라고 할 수 있었지만 연후를 대하는 나태보의 태도는 정중하면서도 공손했다.

"사정이 생겨 바로 대전각으로 모시지 못하게 되었습니다. 부디 너그러이 봐주시면 감사하겠습니다."

"여덟 가문 모두가 다 그렇소?"

"벽력가를 제외한 일곱 가문 모두가 그러합니다."

"벽력가는 왜 예외인 것이오?"

"공자께서도 아시다시피 대지존의 사신이 살해당한 사건과 관련하여 형전에 출두하도록 조치가 되어 있습니다. 그러한 이유로 벽력가는 따로 형전으로 먼저 가게 되었습니다."

"벽력가의 소행으로 밝혀지면 어떤 처벌이 따르는지 물어봐도 되겠소?"

"죄송하지만 그건 오직 대지존의 뜻에 관한 문제인지라……."

나태보가 말끝을 흐리자 연후도 더는 묻지 않았다.

'예상보다 일이 더 커진 것 같군.'

계책이 제대로 통한 것 같아 기분이 좋았다.

연후는 위연광의 일그러진 얼굴을 떠올리며 담담히 물었다.

"어디로 가면 되겠소?"

"여덟 가문의 귀빈들만이 머무는 장소가 있습니다. 지금 바로 그리로 모시도록 하겠습니다. 너희들은 이만 물러가도록 하여라."

"예, 호법!"

"가시지요."

연후와 윤회는 나태보의 안내를 받으며 보기에도 까마득한 절벽의 계단을 오르기 시작했다.

연후는 계단을 오르면서 주변을 살피는 것을 게을리하지 않았다.

'곳곳에 기관과 매복이라……. 이 정도만 되어도 어지간한 고수들은 오를 엄두도 내지 못하겠군.'

그때였다.

무심결에 좌측을 돌아보던 연후는 이채를 머금었다. 이십 장쯤 옆에 또 다른 계단이 있었는데, 벽력가의 위연광이 한 명의 중년인과 함께 벌의 인물로 보이는 자의 안내를 받으며 그곳을 오르고 있었다.

둘의 시선이 허공을 격하고 얽혀들었다.

연후는 매섭게 번뜩이는 위연광의 눈빛을 보며 차갑게

비웃어 주었다.

[어깨 위의 그 추한 물건…… 조만간 내 손으로 거두러 갈 테니 잘 간수해 둬, 늙은이.]

[네 잘난 형이 어떻게 죽었는지 명심해라, 애송이. 네 놈도 곧 그렇게 만들어 줄 테니까.]

[얼마든지 기다려 주지. 후후후.]

다른 이들은 감히 시선조차 마주치지 못하는 위연광이었으나, 연후는 조금의 물러섬도 없었다.

오히려 그는 위연광을 도발했다.

[네 여식이 그렇게 절색이라지? 훗날 서북무림을 접수한 뒤에 첩으로 삼을 것을 고려해 보지.]

파르르…….

연후는 세차게 흔들리는 위연광의 눈동자를 보며 다시 한 번 싸늘히 비웃음을 날렸다.

[기대해라. 내가 너희 서북무림을 어떻게 무너뜨릴지. 미리 말하는데…… 너희로 인해 북부무림이 겪은 고통의 수백 배는 더 고통스러울 거다.]

위연광의 핏줄은 씨를 말려 버린다.

아버지와 형의 죽음이 벽력가의 소행인 것을 안 이후부

터, 그리고 서북무림의 침공으로 수많은 북부무림의 무사들이 죽어 간 것을 확인한 이후부터 연후는 가슴속에 복수의 칼날을 꽂아 두었다.

비록 자신을 외면했던 아버지와 형이지만 아들과 아우로서, 그리고 주군가의 마지막 적자로서 그건 벗어 버리지 못할 숙명이 되어 버렸다.

* * *

연후가 안내받은 곳은 자그마한 별채였다.

작은 정원과 못까지 갖추고 있어 제법 운치가 넘쳤지만, 주변의 다른 건물들에 비하면 초라하기 그지없었고 시중을 들어 줄 시녀도 달랑 한 명뿐이었다.

"아무리 그래도 이건……."

윤회가 분노로 얼굴을 붉혔다.

"대접받지 못해 화가 난 것이오?"

"저야 땅바닥에 굴러도 상관없지만, 주군께서 이런 푸대접을 받으시다니요. 있을 수 없는 일입니다!"

"저들의 입장에서 나는 아직 북부무림의 주군이 아니오. 또한 철혈가의 가주가 된 것도 아니니 들여보내 준 것만도 다행이라 여깁시다."

그때였다.

문이 열리고 시녀가 들어섰다.

십대 후반쯤 되었을까? 초롱초롱한 눈망울에 상아처럼 흰 피부가 꽤 인상적이었다.

"차를 가져왔습니다."

연후는 차를 담은 쟁반을 내려놓고 돌아서는 시녀를 불렀다.

"차보다는 술이 필요한데……."

"지금 주안상을 준비하고 있으니 조금만 기다려 주시면 대령하도록 하겠습니다."

"기왕이면 독한 것으로 부탁하겠소."

시녀가 나가자 연후는 창문을 열어젖혔다.

초라한 별채였지만 전망은 기가 막힐 정도로 뛰어났다. 워낙에 높은 곳에 위치하고 있어서 저 멀리 펼쳐져 있는 도시와 도시를 가로지르는 드넓은 강과 눈 덮인 평원이 한눈에 들어왔다.

휘이잉.

더없이 차가운 바람이 얼굴을 사정없이 할퀴고 지나갔지만 연후는 잠시 먼 곳에 시선을 던져 둔 채 바람에 몸을 맡겼다.

윤회는 그런 연후를 말없이 지켜볼 뿐이었다.

그러기를 얼마나 지났을까?

밖에서 굵직한 목소리가 흘러들었다.

"호법 나태보입니다. 들어가도 될는지요."

"들어오시오."

연후가 창문을 닫고 의자에 앉자 나태보가 들어왔다. 그런데 그의 옆에 한 사람이 더 있었다.

바로 암행사자 철군악이었다.

그가 포권을 취하며 머리를 살짝 조아렸다.

"암행사자 철군악이라고 합니다."

"이연후요."

"외람되지만 잠시 저와 함께 형전으로 가 주셔야겠습니다."

윤희가 대신 물었다.

"무슨 일이오?"

"사신단 사건과 관련해 따로 조사를 할 게 있습니다. 사신에게 들으니 당시 사건 현장에 함께 계셨다고요."

윤희가 다시 나서려고 할 때 연후가 말했다.

"갈 때 가더라도 술 한잔 마시고 갑시다."

"……."

"도망갈 것도 아니니 그 정도는 괜찮지 않겠소?"

호법 나태보가 살짝 당혹스러운 표정을 지을 때, 철군

악은 옅은 미소를 머금었다.

"그리하십시오. 하면 밖에서 잠시 기다리고 있겠습니다."

철군악은 바로 별채를 나섰다.

나태보가 뒤를 따르며 슬며시 미간을 찡그렸다.

"배짱인지, 아니면 만용인지……."

"뭐가 말이오?"

"암행사자의 출두 요구에 술을 마시고 가겠다는 저 당당한 태도 말입니다. 여덟 가문의 가주들도 감히 저리하지는 못할 텐데, 하물며 가주의 자리조차 오르지 못한 자가……."

미간의 주름이 더 굵어지는 나태보였다. 하지만 철군악은 오히려 입가에 묘한 미소를 머금고 있었다.

'나 철군악의 마음을 첫눈에 사로잡는 사람이 있다니……'

7장

뜻밖의 취소

뜻밖의 취소

"별일 없어야 할 텐데……."

형전의 정문 앞.

윤회는 연후가 나오기를 기다리며 노심초사했다.

철군악과 함께 형전으로 들어간 지 벌써 반 시진, 결코 짧지 않은 시간이 흘렀음에도 연후는 지금껏 나오지 않고 있었다.

연후를 믿었지만 불안감이 드는 건 어쩔 수 없었다. 말 한 마디 삐끗하면 잘못되는 곳이 형전이었다.

특히 형전의 수장은 치밀하고 깐깐하기로 천하에 정평이 나 있는 인물이었다.

제법 거칠게 내리는 눈이 윤회의 머리를 하얗게 물들였

을 때였다.

드디어 연후가 형전의 문을 열고 밖으로 나섰다. 평소와 다를 바 없는 무심한 모습에 윤회는 비로소 안도하며 다가갔다.

“어떻게 되었습니까?”

“참고인 신분이라 그냥 몇 마디 대꾸만 하고 나왔소.”

“한데 시간이 이렇게나 많이 걸렸습니까?”

“그냥 재판이 재밌어서 구경 좀 했소.”

“구경…….”

순간 윤회는 말문이 막혔다.

여덟 가문의 가주들이 가장 꺼려 하는 곳이 형전과 엮이는 것인데, 재밌어서 구경을 했다니.

솔직히 이건 좀 허세라고 생각됐다.

‘이 정도 허세쯤이야 뭐.’

윤회는 벌써 저만치 앞을 걸어가는 연후의 곁을 따라붙었다.

그렇게 얼마나 걸었을까?

돌연 곳곳에서 벌의 고수들이 뛰쳐나와 어디론가 황급히 몸을 날리는 모습이 연후의 눈에 들어왔다. 그중에는 연후가 놀랄 정도로 극강의 경공술을 펼치는 고수들도 있었다.

그들이 향하는 곳은 대지존의 전각이 있는 쪽이었다.

"시장하실 텐데 어서 가시지요, 주군."

잠시 후, 두 사람은 거처로 들어섰다.

시녀가 그들을 맞았다.

"손님이 와 계십니다."

시녀의 말에 윤회가 연후를 돌아봤다.

[장 가주가 온 모양입니다.]

연후는 바로 안으로 들어갔다.

실내 한쪽에 따로 마련되어 있는 탁자에 장천이 앉아 있다가 연후가 들어서자 일어섰다.

"형전에 가셨다고 들었습니다."

"사신단 사건 때문에 출두 요청을 받았소."

"우리 쪽을 의심하지는 않았습니까?"

"위연광이 강하게 주장했지만 우리가 하지 않았으니 걱정할 게 있겠소."

연후가 자리에 앉자 장천이 다시 자리에 앉으며 말을 이었다.

"아무래도 대지존의 환갑연을 겸한 대연회가 취소될 것 같습니다."

연후는 내심 놀랐다.

이제 와서 대연회가 취소된다니.

"확실한 정보요?"

"예. 벌 내에 연이 있는 사람에게 들었는데, 피치 못할 사정이 생겨 취소될 거라고 했습니다. 자세한 사정을 물었지만 그 역시 모르는 일이라고 하더군요."

"그럼 이대로 돌아가는 거요? 아니면 대지존의 얼굴이라도 한번 볼 수 있는 거요."

"어떻게 될지는 조금 더 기다려 봐야 할 것 같습니다. 그건 그렇고……."

말끝을 흐리는 장천.

연후는 그가 무슨 말을 하려는지 짐작하고 있었다. 해서 선수를 쳤다.

"마차 안에 귀한 것이 있던데, 혹시 대지존께 드릴 선물이오?"

"그렇습니다."

"선물은 내가 대신 대지존께 잘 전달하도록 하겠소. 그 귀한 것을 구하느라 힘들었을 텐데, 북부무림을 위하고자 수고하신 숙부의 노력은 잊지 않을 것이오."

"……."

마침 시녀가 차를 갖고 들어왔다.

'한 방 제대로 얻어맞았군.'

장천은 모락모락 올라오는 수증기를 응시하며 치미는

짜증을 애써 억눌렀다. 한편으로는 어이도 없고 황당하기도 하여 헛웃음마저 올라왔다.

"숙부."

"말씀하시지요."

'이럴 땐 잘도 숙부라 하는구나. 능구렁이 같은 놈.'

"돌아가면 각 가문의 수장들과 주요 인사들을 불러 놓고 회의를 열까 하는데…… 숙부 생각은 어떻소?"

"하고자 하신다면 명을 내리시면 될 일입니다. 한데 회의는 왜 열려고 하시는지요?"

"그건 그때 가서 말해 주겠소. 어쨌든 흔쾌히 동의를 해 주시니 이 역시 고맙게 생각하겠소."

"……."

'내가 동의를 했다?'

장천은 또 한 방 얻어맞았다는 생각에 머리가 다 지끈거렸다.

"내가 소집을 명하면 다 올 거라 보시오?"

"글쎄요. 그건 저도 장담할 수 없는 부분인지라……. 굳이 말씀드리자면 선주께서 소집을 명하셨을 때도 몇몇 가문은 참석하지 않은 적이 많았습니다."

"그래요?"

연후는 윤회를 돌아보며 말했다.

"참석하지 않은 곳을 파악하여 목록을 만들어 줘야겠소. 왜 불참을 했는지 그 이유까지 알아야겠소."

"예, 주군."

속내를 애써 감추고 있었던 장천의 눈빛이 한순간 변한 것은 윤회의 입에서 나온 주군이라는 말을 들었을 때였다.

'윤회, 이 작자가…….'

하지만 그건 찰나에 불과했다.

장천은 이내 평소의 눈빛을 되찾았고, 마침 시녀가 차를 갖고 들어오면서 자칫 어색해질 수도 있었던 분위기는 수습이 되었다.

그때였다.

"계신지요."

밖에서 나태보의 목소리가 흘러들었다.

"들어오시오."

나태보가 문을 열고 들어서자 장천은 자리에서 일어나 그를 맞았다. 하지만 연후는 일어서지 않고 찻잔을 입으로 가져갈 뿐이었다.

'이곳은 다른 곳도 아닌 벌의 총단……. 하물며 호법이라는 막중한 직책을 맡은 사람 앞에서의 너의 그러한 오만함은 훗날 비수가 되어 너를 찌를 것이다. 후후후.'

장천이 내심 웃고 있을 때, 나태보가 입을 열었다.

"대연회가 취소되었음을 알려 드리고자 찾아뵈었습니다."

이미 장천으로부터 들었던 내용이라 연후는 딱히 별다른 반응을 하지 않았다.

그러한 사정을 모르는 나태보는 연후의 담담한 태도에 의아함을 금치 못했다. 누구라도 이런 경우라면 놀라거나 안타까워하는 것이 당연하지 않을까.

"대지존을 뵐 수는 있소?"

"송구하지만 힘들 듯합니다. 혹시라도 오해를 하실까 싶어 말씀드리자면 다른 일곱 가문의 가주들도 대지존을 뵙지 못할 것입니다."

"대지존의 뜻이오?"

"그렇습니다. 하면 이만 물러가겠습니다."

"하나만 더 물어봅시다."

"하문하시지요."

"대지존께 드릴 선물을 가져왔는데 혹시 호법이 대신 전해 드릴 수 있겠소?"

그 말에 나태보가 옅은 미소를 머금으며 답을 했다.

"대지존께서 선물 같은 건 받지 말라는 엄명을 내리셨습니다. 이 역시 다른 일곱 가문에도 동등하게 적용될 것입니다. 제가 기회를 봐서 공자의 정성은 꼭 전해 드리도록 하겠습니다."

나태보가 물러가자 연후는 의자에 몸을 깊숙이 묻으며 찻잔을 입으로 가져갔다.

'그 먼 곳에서 온 여덟 가문의 가주들을 이대로 돌려보내겠다니……. 정말 그럴 만한 사정이 있는 건지, 아니면 버릇을 들이기라도 하겠다는 건가?'

탁!

찻잔을 내려놓는 연후에게 윤회가 물었다.

"언제 떠나시겠습니까?"

"취소가 결정되었으니 바로 가야지 않겠소."

"알겠습니다. 하면 채비를 하겠습니다."

"용안석부터 가져오시오."

"예."

윤회가 벽장에 넣어 놓았던 용안석을 가져오자 연후는 그것을 장천에게 내밀었다.

"이건 왜……."

"대지존이 선물을 받지 않겠다고 하니 당연히 주인에게 돌려줘야지 않겠소."

'이걸 돌려줘?'

사실 장천은 용안석에 미련을 버린 상태였다. 나태보로

부터 대지존이 선물을 받지 않겠다는 말을 들었을 때도 되돌려 받을 거라는 생각은 하지 않았었다.

'그러고 보니 내가 왜 돌려받지 못할 거라는 생각을 마치 당연한 것처럼 여겼을까? 엄연히 주인은 나이거늘…….'

장천은 비로소 느꼈다. 자신도 모르게 연후의 기도와 분위기에 눌려 있었다는 것을.

'어이가 없구나. 나 장천이 한낱 천둥벌거숭이 같은 애송이 따위에게 기가 눌리다니…….'

마치 놀아나는 듯한 기분마저 들자 장천은 애써 표정을 감추며 용안석을 담은 금합을 품속에 갈무리했다.

"돌아가는 길에 마땅히 함께해 드려야 하나 잠시 들러야 할 곳이 있어 그러지 못할 듯합니다."

"알겠소."

"그럼 본가에서 뵙도록 하겠습니다."

머리를 조아리고 일어서는 장천을 연후가 불러 세웠다.

"숙부."

"더 하실 말씀이라도 있으신지요."

"내가 돌아오지 않았더라면 북부무림의 주군이 되었을 텐데…… 해서 하나 묻겠소."

"하문하시지요."

"숙부가 꿈꿨던 북부무림의 미래를 듣고 싶소."

'무슨 꿍꿍이로 이런 질문을…….'

장천은 쉽사리 대답하면 안 된다는 생각이 들었다. 해서 잠시 뜸을 들이며 적당한 답을 찾아내었다.

"그저 주변에서 저를 추대하고자 했을 뿐, 스스로 주군이 되겠다는 생각을 한 적은 없으니 공자의 질문에 드릴 답 또한 없습니다. 다만 북부무림과 주군가의 일원으로서 당연히 바랐던 것은…… 일곱 가문의 그 어떤 곳도 감히 함부로 대하지 못하는 강력한 북부무림이 되는 것이었습니다."

"그래요? 이거 내가 북부무림을 향한 숙부의 충심을 제대로 오해를 한 것 같소. 알겠소. 하면 본가에서 보도록 합시다."

"예. 그럼."

밖으로 나선 장천은 꺼림칙한 기분을 떨칠 수가 없었다.

조금 전, 질문을 할 때의 연후의 눈빛은 마치 자신의 속을 훤히 들여다보는 것 같은 착각마저 들게 하는 그런 눈빛이었다.

'소름이 끼치도록 무서운 눈빛이었다. 그런데 저 눈빛이 전혀 낯설지가 않다는 기분이 드는 건 왜일까.'

거처를 향해 걸아가면서 곰곰이 생각을 하던 장천이 어

느 순간 눈빛을 가라앉히며 걸음을 멈췄다.

그런 그의 머릿속에 떠오른 얼굴 하나가 있었다. 절대 권좌에 올라 천하를 관조하는 백야벌의 대지존, 바로 그의 얼굴이었다.

'그래, 어째 낯설지가 않다 했더니…….'

생각하는 것만으로 숨이 턱턱 막히는 존재. 조금 전 연후의 눈빛은 지난날 벌에서 자신을 조용히 바라보던 대지존의 눈빛과 매우 흡사했다.

피식.

'내가 며칠째 밤잠을 설쳐서 많이 피곤했던 모양이구나. 한낱 애송이의 눈빛에서 대지존을 떠올리다니…….'

장천은 다시 걸었다.

하지만 몇 걸음도 채 가지 못하고 다시 그 자리에 멈춰 서야 했다.

저만치 앞에서 서북무림의 주군 위연광이 이쪽을 향해 걸어오고 있었다.

'표정을 보니 형전에서의 일이 잘 풀리지 않은 모양이군.'

위연광의 얼굴에서 진득한 노기를 읽은 장천은 슬며시 좌측으로 방향을 바꾸려다가 쓴웃음을 지었다.

'내가 저자를 왜 피한단 말이냐.'

생각을 바꾼 장천은 다시 걸음을 떼었다. 그리고 곧 서로를 마주 보는 거리에 이르렀을 때, 위연광의 비아냥거림이 날아들었다.

"애송이에게 머리를 조아린 모양이지?"

"무슨 뜻인지……."

"세상 사람 모두가 장가의 가주가 북부무림의 새로운 주군이 될 거라 예상했었다. 한데 돌아가는 꼬락서니를 보니 그게 아닌 것 같아서 하는 말이다."

'그걸 왜 당신이 신경 써.'

장천은 담담히 받아쳤다.

"지금 남의 일에 신경을 쓸 때가 아닌 것 같습니다만."

"뭐라?"

"그만 신경 끄시고 재판에나 집중하시지요. 대지존의 사신을 죽인 일이라 자칫 벽력가에 큰 화가 미칠까 걱정되어 드리는 말씀입니다. 하면 저는 이만."

장천은 살짝 고개를 숙여 보이고는 위연광을 지나쳤다.

"네놈이야말로 쓸데없는 걱정을 하고 있구나. 내가 네놈들의 음모라는 것을 밝혀내지 못할 것 같더냐? 어디 두고 보거라. 이 사건의 결과가 어떻게 끝나는지……."

"기대하고 있겠습니다."

장천은 작별 인사를 건네고는 거처로 향했다.

그런 그의 귓속으로 위연광의 전음이 흘러들었다.

[너와 그 애송이 놈이 과연 무사히 집으로 돌아갈 수 있을 거라고 보느냐? 후후후.]

장천은 대꾸하지 않았다.

하지만 신경이 쓰이는 건 어쩔 수가 없었다. 위연광은 누구보다 잔혹한 인물이고 한 번 한다면 하는 성격의 소유자였다.

'철딱서니 없는 애송이 녀석 때문에 자칫 내게 큰 화가 미칠 수도 있겠구나. 아무래도 떠나는 길을 서둘러야겠어.'

* * *

'아쉽군. 백야벌이 어떤 곳인지 살펴볼 기회였는데…….'

백야성을 나선 연후는 아쉬움을 뒤로하고 철우를 만나기 위해 도시의 저잣거리로 향했다.

대연회는 취소되었지만 성 밖은 여전히 수많은 인파로 북적거렸다.

연후의 시선을 사로잡은 것은 수십 대의 마차였다. 저마다 짐을 잔뜩 실은 채 성문을 향해 움직이고 있었는데, 주변의 경계가 삼엄하다 못해 살벌할 지경이었다.

연후는 마차의 지붕에 나부끼는 깃발을 응시했다. 황금(黃金)이라는 글자가 저들의 정체를 알려 주고 있었다.

'황금상단이라…….'

황금상단(黃金商團).

세력에서 백야벌이 천하제일이라면 부에 있어서 감히 천하제일이라 칭할 수 있는 곳. 그곳의 재력이면 나라마저 뒤엎을 수 있다고 전해질 만큼 수백 년에 걸쳐 상상을 초월하는 부와 힘을 구축한 곳이었다.

"우리도 황금상단과 거래를 하고 있소?"

"몇 년 전까지는 드문드문 거래를 했지만 철광산이 폐허가 된 이후부터 완전히 끊겼습니다."

"당연히 저쪽에서 거부를 했겠군."

"……그렇습니다."

"철광산은 복구가 완전히 불가능한 것이오?"

"워낙에 심하게 붕괴된 탓에 거의 불가능하다고 보고 있습니다."

"거의라면 일말의 희망은 있다는 소리군."

"선주의 명령으로 할 수 있는 모든 수단을 동원해 봤지만 소용이 없었습니다."

대화의 주제가 무겁게 흘러갔다. 그 와중에 저잣거리의 초입에 이르자 어디선가 철우가 나타났다.

"대연회가 취소되었다고 들었습니다."

"그렇게 됐다."

"하면 바로 돌아가십니까?"

"그래야지."

"바로 마차를 가져오겠습니다."

연후는 철우가 마차를 갖고 돌아올 때까지 거리 곳곳을 둘러보았다. 그러다가 눈빛을 발한 것은 기괴할 정도로 특이한 복장을 한 자들을 발견했을 때였다.

머리에서 발끝까지 흑포를 뒤집어쓰고 있었는데, 드러난 곳이라고는 유리알처럼 반들반들한 눈동자뿐이었다.

윤회가 눈빛을 발하며 말했다.

"귀령가의 고수들입니다. 성문을 향해 가는 것을 보니 이제 막 도착한 것 같습니다."

귀령가(鬼靈家).

역시 여덟 가문의 한 곳이지만 알려진 것이 거의 없는 신비한 집단이었다.

강력한 환술(幻術)을 주특기로 한다는 것만 알려져 있을 뿐 본산이 어디에 위치해 있는지, 세력의 규모가 어느 정도인지는 물론이고, 어떻게 여덟 가문의 한자리에 올랐는지 그 이유조차 알려진 바가 없었다.

소문에는 대지존만이 그들에 대해 알고 있을 뿐이라 전

해지고 있었다.

귀령가는 혈가와 더불어 알려진 것이 거의 없어 가장 위험한 집단이라 할 수 있습니다.

'아쉽군. 한자리에 모였더라면 조금은 특징을 파악할 수 있었을 텐데…….'

연후는 새삼 대연회가 취소된 것이 아쉬웠다.

그때였다. 귀령가의 사람들 중 한 명이 이쪽을 쳐다보면서 한순간 시선이 얽혀들었다.

찌릿.

순간 연후는 온몸을 타고 올라오는 기이한 전율을 느꼈다.

하지만 철우가 끌고 온 마차가 가운데로 끼어들면서 시선은 차단되었고, 온몸을 타고 오르던 전율도 사라졌다.

"오르십시오."

* * *

특이한 복장만으로도 사람들의 시선을 끌기에 충분한 귀령가의 고수들.

그들이 발산하는 기괴한 기운 때문에 그들이 지나가는

곳은 어김없이 인파가 좌우로 갈라졌다.

그때 한 인물이 좌측으로 고개를 돌렸다. 그의 시선이 닿은 곳에 연후가 서 있었다.

그와 시선이 마주친 순간 동공 깊은 곳에서 파란빛이 폭발하듯 떠올랐지만 마차가 가로막으면서 이내 사라졌다.

"가주, 왜 그러십니까?"

"아무것도 아니니 어서 가자꾸나."

다시 걸음을 옮기던 그는 마차에 오르는 연후를 다시 한번 힐끗 쳐다보고는 기광을 번뜩였다.

마차의 지붕에 나부끼는 철혈가의 깃발을 본 것이다.

'철혈가의 마차? 철혈가에 저렇게 젊은 고수가 있었나?'

연후가 탄 마차가 이내 인파에 가려 사라지자 비로소 고개를 돌리는 흑포인이 바로 당대 귀령가의 가주 한송(韓松)이었다.

성문을 향해 걸어가던 한송의 앞으로 벌의 복장을 한 중년인 두 명이 다가왔다.

"어서 오십시오, 가주."

"당신들이 왜 여기까지 나와 본인을 맞는 것이오?"

"그게……."

중년인 하나가 당혹스러운 표정으로 말을 잇지 못하다

가 이내 입을 열었다.

"피치 못할 사정이 생겨 대연회가 취소되었습니다. 그것을 전하기 위해 이곳에서 가주를 기다리고 있었습니다."

"대지존의 뜻이오?"

"예, 가주."

흑포 밖으로 드러난 한송의 눈동자가 한기를 머금었다.

"하면 이대로 돌아가라는 말인가?"

분위기와 어조가 싸늘하게 바뀌자 중년인들의 얼굴이 딱딱하게 굳어졌다.

"다른 사람들은 돌아갔는가?"

"예. 벽력가를 제외한 모두가 이미 벌을 떠나셨습니다."

한송으로서도 어쩔 수 없는 노릇이었다. 대지존이 연회를 취소했다면 따지고 말고 할 것도 없이 무조건 따라야 할 일이었다.

'도대체 무슨 일인데 여덟 가문의 가주들을 불러 놓고 이런 식으로 취소를 한단 말인가.'

"대지존께서 대신 미안하다는 말씀을 전하라 하셨습니다. 부디 너그럽게 이해해 주십시오, 가주."

"하나 물어볼 게 있는데……."

"하문하시지요."

“북부무림에서는 누가 왔는가?”

“철혈가의 이공자와 장가의 가주 장천이 함께 참석하셨습니다.”

‘그럼 그 청년이 이염의 둘째 아들…….’

지난날, 한송은 철혈가에 들른 적이 있었다. 그때 연후의 나이 열 살이었다.

물론 그가 철혈가를 방문했던 것은 세상이 모르는 이염과 그만의 비밀이었다.

‘쫓겨난 이후로 행적이 끊겨 죽은 줄로만 알았더니……. 역시 그때 내가 잘못 본 것이 아니었구나.’

그에게 연후와의 만남은 아주 특별한 기억으로 남아 있었다. 이유는 오직 그만이 알 뿐이었다.

“가주, 이만 돌아가시지요.”

“알았다.”

돌아서는 한송을 향해 두 중년인이 머리를 조아렸다.

“대지존께 안부나 여쭤 주게.”

“알겠습니다. 하면 살펴 가십시오, 가주.”

한송은 저잣거리 남쪽으로 향했다.

“총관.”

“예, 가주.”

“돌아가는 즉시 철혈가의 이공자와 관련한 정보를 취

합하여 보고하도록 해."

"그건 왜……."

"일일이 이유를 말해야 하느냐?"

"죄, 죄송합니다!"

"귀환을 서두른다."

"존명!"

* * *

백야벌 북문(北門).

깎아지른 절벽이 끊임없이 펼쳐진 그곳에도 세상으로 내려가는 길은 있었다.

바람이 불 때마다 휘청거리는 다리 위로 한 청년이 모습을 드러낸 것은 해질녘이 다 된 무렵이었다.

절벽 아래로 펼쳐진 세상을 내려다보는 청년의 눈동자는 짙은 허탈과 진한 슬픔으로 가득 차 있었다.

그런 청년을 안타깝게 쳐다보는 사람이 있었다. 암행사자 철군악이었다.

"사형."

"예, 공자."

"이제 떠나면 다시 뵐 수 있을까요?"

"떠나지 않으시면 됩니다. 지금이라도 돌아가십시오. 시간이 약이라고 했으니 참고 또 견디다 보면……."

"싫습니다. 이제 더는 나를 쳐다보는 경멸 어린 시선들을 감당할 자신이 없습니다. 그것을 묵인하시는 조부와 아버님을 보고 있자면 도저히 견딜 수가 없습니다. 이제 어머니도 떠나셨으니 벌을 떠나 천하를 떠돌며 자유롭게 살다가 가겠습니다."

"공자……."

"어머니의 유언입니다. 자식으로서 못다 한 효도를 이렇게나마 해 드리고 싶습니다. 그러니 말리지 마십시오."

청년의 입가에 처연한 미소가 떠올랐다.

"그래도 사형이 제 마지막 곁을 지켜 주시는군요. 죽어도 사형만큼은 결코 잊지 못할 겁니다."

통곡보다도 더 슬퍼 보이는 미소를 보며 철군악은 어금니를 악물었다. 그의 두 눈은 붉게 충혈되어 있었다.

눈앞의 청년은 그의 사제이기 이전에 대지존의 아들이라는 고귀한 신분이었다.

하지만 그건 겉모습에 불과할 뿐이었다.

태어날 때부터 그에게 덧씌워진 서자(庶子)라는 신분은 청년에게 도저히 벗어날 수 없는 천형(天刑)과도 같은 것이었다.

누구보다 그의 비참했던 삶을 곁에서 지켜봤던 철군악이기에 돌아가자는 말과는 달리 차마 붙잡을 수가 없었다.

"하면 어디로 가시겠습니까?"

"발길이 닿는 대로 가야지요. 그 전에 친구의 묘에 술이라도 한잔 따라 줘야 할 것 같습니다. 사형을 제외하면 유일하게 저를 진심으로 대해 줬던 친구인데, 세상을 떠난 줄 알면서도 지금껏 찾아가 보지도 못한 죄를 빌고 싶습니다."

꽈악.

철군악은 다시 어금니를 악물었다.

'이렇게 보내 드릴 순 없다. 지금까지 어떻게 버티며 살아오셨는데…….'

철군악은 품속에서 패를 꺼냈다.

암행사자를 상징하는 신패였다. 그것이 그의 손아귀에서 산산조각이 났다.

퍼석.

"사형……."

씨익.

철군악은 웃었다.

웃음에 담긴 의미를 모를 리 없는 청년의 눈빛이 세차

게 흔들렸다.

“안 됩니다, 사형. 사형은 암행사자이지 않습니까. 저 때문이라면 이러지 않아도 됩니다.”

“사실 저도 벌에서의 생활이 지긋지긋하던 참이었습니다. 그리고 이제 신패를 깨 버렸으니 되돌리고 싶어도 그럴 수도 없게 되어 버렸습니다. 그러니 함께 가시죠.”

“사형!”

휘리릭.

철군악은 먼저 잔도로 내려섰다.

청년은 그런 철군악을 보며 눈시울을 붉혔다.

“북부무림의 이공자께서 근처 도시에 계시니 떠나기 전에 만나려면 서두르셔야 합니다.”

“명화의 아우가…… 왔습니까?”

“아, 미처 말씀드리지 못했군요. 예. 아주 멋지게 성장해서 주군의 자격으로 벌에 입성했습니다. 어차피 북부무림으로 가실 거면 그분과 함께 가시지요.”

조금 전에 청년이 말했던 친구란 바로 연후의 형 이명화였다.

십 년 전쯤 이명화가 수련을 이유로 백야벌로 왔었는데, 그때 인연을 맺은 두 사람은 신분의 고하를 떠나 친구의 정을 나눴었다.

비록 일 년에 불과한 짧은 시간이었지만 청년에게 있어 가장 행복한 시간이었다.

그러던 어느 날, 이명화의 죽음이 전해졌고, 청년은 스스로 상복을 입고 벌의 북쪽 산악 지대의 동굴에서 열흘 동안 벗의 죽음을 슬퍼했었다.

그때 조부와 부친의 반대로 조문을 가지 못한 것이 그에게는 지울 수 없는 한으로 남아 있었다.

"막상 떠나려니 발길이 떨어지지 않습니까? 하면 지금이라도 돌아가십시오."

그 말에 청년은 훌쩍 몸을 날려 철군악의 곁에 내려섰다.

둘의 시선이 허공에서 얽혀들었다.

씨익.

"제가 좀 멋있지 않습니까?"

"멋있습니다. 눈이 부실 만큼 멋있습니다."

"흐흐흐. 그럼 이만 가 보실까요?"

대연회가 벌어지기 이틀 전 날.

대지존의 첩실 한 명이 세상을 떠났다. 그리고 첩실이 낳은 아들 소무백은 백야벌을 등졌다.

암행사자 철군악이 모든 것을 버리고 소무백과 함께 떠났다.

* * *

따각. 따각.

연후를 태운 마차가 관도 위를 천천히 달렸다. 사람이 많은 탓에 제 속도를 낼 수 없었지만 마차를 모는 철우는 느긋했다.

그 옆에 앉은 윤회는 난감한 표정이었다.

마차가 제 속도를 내지 못해서가 아니라 지금 철혈가로 향하는 방향 때문이었다.

그는 철우에게 물었다.

"주군께서 왜 먼 길을 택하신 것이오?"

"모릅니다. 저는 그저 명에 따를 뿐입니다."

그랬다. 연후는 백야벌을 나선 직후 빠른 길이 아니라 일부러 한참을 돌아가는 길을 택한 것이다.

대충 가늠해 봐도 열흘은 더 걸리는 길이었다. 당장 연후에게 묻고 싶었지만 지금 그는 마차 안에서 휴식을 취하는 중이어서 방해를 하고 싶지가 않았다.

이번에는 철우가 물었다.

"주군을 믿으십니까?"

"물론이오."

"그럼 끝까지 믿으십시오. 그럼 됩니다."

"……."

따각! 따각!

마차가 점점 속도를 내기 시작했다. 궂은 날씨 때문에 도시에서 멀어지자 관도가 한산해진 덕분이었다.

그런 그들을 쫓는 두 필의 인마가 있었다. 그들은 관도로 들어섰을 때부터 연후의 마차를 쫓기 시작했는데, 길이 한산해지자 순식간에 거리를 좁혔다.

뒤에서부터 들려오는 말발굽 소리에 윤회가 뒤를 돌아보고는 즉각 검파에 손을 얹으며 나지막이 말했다.

"누가 쫓아오고 있소."

"나쁜 의도는 아닌 것 같으니 기다려 보시죠."

"그걸 어떻게 아시오?"

"불순한 의도를 지녔다면 저런 식으로 대놓고 쫓아오진 않을 겁니다."

"……."

윤회는 새삼스러운 눈으로 철우를 응시했다. 그러고는 다시 달려오는 두 필의 인마에게 시선을 돌렸다.

각각 백포와 청포를 걸치고 있었는데, 허리춤에 달려 있는 검이 없었더라면 그저 평범한 양민 같은 사람들이었다.

두두두!

그들은 순식간에 마차의 곁까지 따라붙었다. 윤회는 끝까지 검파에 얹은 손을 내려놓지 않았다.

백포인이 나지막이 외쳤다.

"철혈가의 공자를 뵙고 싶소!"

"신분부터 밝히시오."

"그건 공자를 뵙고 말씀드리겠소!"

윤회는 물러서지 않았다.

"이곳에 그런 분은 없소. 오직 북부무림의 주군이 계실 뿐이오."

"하면 주군을 뵙게 해 주시오."

윤회가 뭐라 말을 하려고 할 때였다.

"마차를 세워라."

안에서부터 연후의 목소리가 흘러나오자 철우가 마차를 길가로 몰았다. 잠시 후, 마차가 완전히 멈추자 창문이 열리고 연후가 얼굴을 내밀었다.

* * *

연후는 마상의 인물들을 살폈다.

둘 다 처음 보는 얼굴이었다.

백포인이 먼저 말에서 내려 그를 향해 포권을 취했다.

"따로 드릴 말씀이 있습니다."

연후는 말없이 백포인을 주시하다가 고개를 끄덕였다.

"들어오시오."

"감사합니다."

그제야 청포인이 말에서 내렸다. 그것만 봐도 청포인이 백포인보다 신분이 높다는 것을 알 수 있었다.

"총사."

"예, 주군."

"철우와 잠시 바람 좀 쐬고 오시오."

자리를 피해 달란 말이었다.

윤회는 선뜻 대답하지 못했다. 누군지도 모를 자들과 연후를 마차 안에 놔둘 순 없었다.

"조금 전에 철우가 한 말을 벌써 잊었소?"

"……."

윤회는 결국 철우와 마차에서 떨어진 곳으로 향했다.

그들이 멀어지자 백포인과 청포인이 마차 안으로 들어갔다. 마차는 생각보다 넓었고 화려했다.

백포인과 청포인은 연후의 맞은편에 앉았다.

그러자 연후가 무심히 말을 건넸다.

"나는 얼굴을 가린 자와는 대화하지 않소. 나를 찾은

이유를 밝히기 전에 먼저 신분부터 밝히는 게 도리인 것 같소만…….”

두 사람의 눈빛이 흔들렸다.

사실 그들은 지금 매우 정교한 인피면구를 쓰고 있었다. 그것은 어지간한 고수라도 눈치채지 못할 만큼 뛰어난 명장이 만든 것으로 지금껏 한 번도 들킨 적이 없었다.

“감히 결례를 범했습니다.”

청포인이 먼저 인피면구를 벗었다.

그러자 드러나는 얼굴은 소무백이었다. 대지존을 닮았지만 대지존을 본 적이 없는 연후는 그 사실을 몰랐다.

백포인은 당연히 철군악이었다.

그도 인피면구를 벗고는 연후를 향해 머리를 조아렸다.

“죄송합니다. 사정이 있었을 뿐 결코 속일 생각은 없었습니다.”

벌에서 본 적이 있는 철군악을 모를 리 없는 연후였다.

“공…… 아니, 가주를 찾아온 이유는…….”

철군악이 모든 것을 털어놓기 시작했다. 놀라운 말의 연속이었지만 연후는 특유의 무심함에서 조금의 변함도 없었다.

소무백의 정체를 말할 때도 눈빛 하나 흔들리지 않았다. 그것이 철군악을 놀라게 만들었다.

'애써 감추는 것인가, 아니면 정말 아무렇지도 않다는 것인가.'

철군악이 말을 끝내자 연후는 자리에서 일어나 소무백을 향해 포권을 취하며 머리를 살짝 숙였다.

"이연후가 정식으로 인사드리겠소."

"명화를 많이 닮으셨습니다."

"형제니까요."

대지존의 아들에 대한 최소한의 예를 갖춘 연후는 다시 자리에 앉으며 물었다.

"사정이 그러하다면 신분을 감추는 것이 우선일 텐데…… 내게 모든 것을 밝히는 이유가 뭔지 그것부터 알아야겠소."

"내게 무엇보다 우선해야 할 일이 있습니다. 그것은 바로 명화를 찾아 용서를 비는 것이지요. 그러자면 철혈가의 조사전에 들어가야 할 텐데…… 감히 그곳을 몰래 들어갈 수 없으니 공자, 아니 가주의 도움을 청하기 위함이었습니다."

"형님과 각별하셨던 모양입니다."

"나를 유일하게 진심으로 대해 줬던 친구였습니다. 비록 함께했던 시간은 짧았지만 내겐 가족보다 더 소중한 사람이었습니다."

진심이 묻어나는 말이었다.

연후는 말을 들으면서 생각을 해 보았다.

이들과 엮이는 것을 과연 행운이라고 봐야 할지, 아니면 불행을 자초할 씨앗이 될지.

'이득이 되지 않으면 냉정하게 잘라 버린다. 하지만 당장은 그럴 필요가 없겠지. 아직 시간은 충분하니까.'

생각을 정리한 연후는 담담히 말을 이었다.

"미리 말해 두겠는데…… 두 사람으로 인해 나와 본가, 그리고 북부무림에 해가 될 조짐이 보이면 그땐 나도 어쩔 수가 없소."

"염려 마십시오. 가주께서 우리의 신분만 비밀로 해 주시면 문제 될 건 전혀 없을 것입니다."

"알겠소. 그럼 같이 갑시다."

"감사합니다, 가주."

"고맙습니다."

뜻밖의 동행은 이렇게 시작되었다.

* * *

녹지 않은 눈 위를 섬전처럼 달려가는 자들이 있었다.

모두 다섯 명.

하나같이 평범한 무복을 걸쳤지만 날카로운 눈빛과 범상치 않은 경공술은 그들이 고수라는 것을 말해 주고 있었다.

파파팟!

그들이 지나간 곳에 눈가루가 흩날렸다.

그렇게 달리기를 얼마나 지났을까?

두 갈래로 갈라지는 관도에 큼지막한 이정표가 나타나자 그 앞에 내려섰다.

유난히 눈동자가 가늘고 긴 자가 물었다.

"이곳이 철혈가로 향하는 가장 빠른 길이 확실하겠지?"

"마차를 이용하려면 반드시 이곳을 지나갔을 겁니다. 다른 곳은 열흘이 더 걸릴 테니 말입니다."

"머지않아 따라잡을 수 있겠군."

"염려 마십시오. 밤이 시작될 즘에 도착할 도시에 이미 아이들을 풀어놓았습니다. 또한 그자가 머물 만한 객잔에도 만반의 준비를 해 두었으니 그곳이 그자의 무덤이 될 것입니다."

"벌의 법이 적용되지 않는 곳이어야 한다."

"윗선에서 이미 벌의 법이 적용되지 않는 도시임을 확인했습니다."

수하의 대답에 질문을 던진 자의 눈초리가 더 길고 가늘게 찢어졌다.

"무슨 일이 있더라도 놈의 목을 베어야 한다. 그래야만 뇌검을 넘어설 수 있다."

"아직 뇌검의 생사가 확인되지 않았다고 합니다."

"신경 쓸 거 없다. 어차피 주군은 놈에게 자결을 명하셨다. 그걸로 놈은 이미 끝장난 것이라고 봐야겠지. 자! 다시 전속력으로 달린다!"

"예!"

다시 바람처럼 달려가는 자들. 그들은 위연광의 명령으로 연후의 목을 베기 위해 움직인 서북무림의 살수들이었다.

그들은 쉬지 않고 달렸다.

그리고 예상했던 대로 어둠이 내려앉기 시작할 무렵이 되었을 때 도시의 초입으로 들어설 수 있었다.

그런 그들을 향해 뛰어오는 자가 있었다.

"놈이 어느 객잔으로 들어갔느냐?"

"그게…… 아직 도착하지 않았습니다."

"그게 무슨 말이냐. 지금쯤이면 도착을 하고도 남을 시간이지 않느냐!"

"그렇긴 합니다만……."

"혹시 도시를 그냥 지나친 것은 아니냐?"

"안 그래도 그럴 수도 있다는 생각에 마차가 다닐 만한 길에 아이들을 풀어놓았는데, 아무도 철혈가의 마차를 보지 못했다고 합니다."

"빌어먹을, 대체 뭐가 어떻게 된 거야."

파스스…….

길 위에 쌓였던 눈이 무형의 기운에 의해 사방으로 흩날렸다. 모두가 숨을 죽였다.

여기서 한 마디라도 뻥긋하면 목이 날아갈 수도 있었다. 해서 측근조차도 입을 다물고 있었다.

"철혈가의 마차가 벌을 떠나는 것은 누가 확인하였느냐?"

"……제가 확인했습니다."

"하면 왜 눈을 붙여 두지 않았지?"

"그건…… 당연히 이곳으로 올 것이라 예상했기 때문에……."

퍽!

말을 하던 자의 목이 뎅강 잘려 떨어졌다.

"당장 전서를 날려라. 철혈가로 향하는 모든 길목을 살피라고 말이다!"

"알겠습니다!"

* * *

벌의 공자이기 이전에 형님의 벗이시니 마땅히 마차를

양보해야 하나, 그렇게 되면 모두의 의심을 살 수 있으니 말을 타고 이동하는 게 좋겠소.

철군악은 연후의 말을 떠올리며 흐릿한 미소를 머금었다.

'이것 참 희한하군. 어째서 조금도 오만해 보이지가 않는 걸까?'

무심한 표정과 그에 못지않은 무뚝뚝한 말투와 행동이었다. 그것도 대지존의 아들인 소무백 앞에서.

그가 비록 서자이지만 천하의 누구도 그 앞에서 연후처럼 행동할 순 없었다.

그런데 이상하게도 조금도 불쾌하지가 않았다. 오히려 너무나도 당연하고 자연스럽다는 느낌만 들 뿐이었다.

'이거 완전히 홀딱 반해 버린 기분인걸.'

이미 벌에서의 첫 번째 만남에서 느낌이 좋았던 철군악이었다.

"사형."

"예, 공자."

"또 공자라 하십니까?"

"아……."

"제가 죽기를 바라지 않으신다면 사제로 대해 주세요."

"흠흠. 알겠습니다."

"사제한테 존대하는 사형도 있습니까? 저의 안전을 바라신다면 최대한 빨리 익숙해져야 합니다."

"……알았다, 사제."

비로소 소무백의 입가에 미소가 걸렸다. 그가 물었다.

"후회하지 않습니까?"

"벌을 떠난 것을 말이냐?"

"예. 사형은 누구보다 미래가 밝았던 분이셨지 않습니까. 대지존께서도 크게 신임하셨고요."

씨익.

소무백의 질문에 철군악이 어느 때보다 환한 미소를 머금었다.

"전혀. 내겐 벌에서의 내 미래보다 사제가 더 중요하거든. 부인께서도 평소에 내게 많은 말씀을 하셨지. 그 대부분이 당신께서 돌아가신 이후에 사제를 부탁한다는 말씀이셨다. 알까 모르겠는데…… 내게 부인은 어머님과 같은 분이셨다. 적어도 나는 그분을 그렇게 여겼다. 그러니 이제 다시는 그런 걱정…… 하지 않았으면 한다."

"그거 아십니까?"

"뭘?"

"우리 두 사람…… 이제 천하에서 혈육이라고는 하나

없는 혈혈단신이라는 거 말입니다."

"부인께서 돌아가시면서 그렇게 된 셈이지. 후후후."

소무백이 하늘을 올려다보며 중얼거리듯 말했다.

"어머님이 무척 기뻐하시겠군요. 사형이 제 곁을 지켜 주시니 말입니다."

그 모습을 보며 철군악은 눈빛을 가라앉혔다.

'부인의 말씀이 없었더라도 저는 공자의 곁을 지켜 드렸을 겁니다. 제 목숨이 다하는 그날까지 공자의 곁을 떠나는 일은 결코 없을 겁니다.'

그때였다.

"배고프지 않소?"

연후의 목소리였다.

"배보다는 술이 고픕니다, 가주."

"그럼 한잔하고 갑시다."

"예!"

* * *

연후와 일행들은 자그마한 도시의 허름한 객잔으로 들어갔다.

술과 요리로 허기를 달래기를 일각쯤 지났을까, 연후는

궁금했던 점을 물었다.

"대연회는 왜 취소된 것이오?"

[답을 하자면 공자의 신분이 드러나게 됩니다.]

철군악의 전음이었다.

"이들은 믿어도 되는 사람들이오."

돌연한 말에 윤회와 철우가 어리둥절한 표정이 되었다. 철군악은 두 사람을 힐끗 쳐다보고는 입을 열었다.

"그게……."

하지만 쉽사리 입이 떨어지지가 않았다. 그가 말끝을 흐리자 소무백이 대신 답을 하고 나섰다.

"대연회를 이틀 앞두고 어머님께서 돌아가셨습니다. 아마 그 일로 인해 취소를 한 것 같습니다."

"심심한 조의를 표하는 바이오."

"감사합니다."

형이 세상을 떠난 지 몇 해나 지났거늘 지금에서야 조의를 표하기 위해 찾는다는 것이 의아하긴 했다.

하지만 사정을 듣고 보니 소무백이 어째서 신분까지 숨긴 채 백야벌을 떠나온 것인지 대충은 짐작할 수 있었다.

'어머니가 백야벌과의 유일한 끈이었던 모양이군.'

소무백을 보고 있자니 왠지 모를 동질감이 올라왔다. 사정은 서로 다르지만 어쨌든 그나 자신이나 가문에서 혈육들에게 대접받지 못한 것은 일치하는 부분이었다.

'그렇다 해도 나와 북부무림에 해가 된다면…….'

연후는 측은지심을 떨쳐 내고 윤회를 돌아봤다.

"총사."

"예, 주군."

"벌의 공자이시오. 그리고 이분은 암행사자이니 앞으로 예를 갖춰 모시되, 이 사실은 당분간 우리 세 사람만 알고 있어야 할 것 같소."

윤회가 크게 놀라며 벌떡 일어서서는 소무백을 향해 머리를 조아렸다.

"윤회가 공자를 뵙습니다."

"가주의 말처럼 비밀을 부탁해도 되겠습니까?"

"저희들에게는 누구와의 약속보다 주군의 명이 우선입니다. 주군께서 비밀로 하라 명하셨으니 염려하지 마십시오."

윤회의 대답에 철군악은 내심 감탄했다.

'수하로서 이보다 더 훌륭한 태도는 없으리라.'

연후는 다른 것을 물었다.

"재판은 어떻게 될 것 같소?"

철군악이 대답했다.

"서북무림 쪽에서 북부무림의 음모라 강하게 주장하고

있습니다. 형전의 수장께서 그쪽의 이의를 받아들인다면 시간이 꽤 걸릴 듯합니다."

"그럼 우리도 조사를 받아야 한다는 말이오?"

"이의를 받아들인다면 아마 그렇게 될 듯합니다."

연후는 처음부터 쉽게 끝날 거라는 생각은 하진 않았다. 다만 북부무림도 조사에서 자유로울 수 없다는 말을 들으니 괜히 신경이 쓰였다.

이번에는 철군악이 물었다.

"더 빠른 길이 있는데 왜 이 길로 가시는지요?"

"나를 죽이고 싶어 하는 자가 있어서."

"혹시 서북무림입니까?"

연후는 묵묵히 고개를 끄덕였다.

"그자와 나 사이에 세상이 모르는 은원이 조금 생겼소. 딴에는 자존심이 꽤 상했을 테니 눈에 불을 켜지 않겠소."

철군악은 연후가 말한 은원이 뭔지 궁금했지만 참았다. 한편으로는 서북무림이 전혀 엉뚱한 곳을 쫓고 있을 거라는 생각에 실소를 머금었다.

'그러고 보니 형전에서 위 가주가 이분 앞에서 지나치게 흥분하는 모습을 보였는데, 우리가 모르는 사정이 있었군. 그나저나 이분…… 선주 이염과는 확실히 뭔가 다

른 느낌이다.'

그가 봤던 이염은 지나치게 온화했었다.

달리 보면 우유부단하다 볼 수도 있었는데, 그로 인해 호기를 놓치고 실기하는 경우가 더러 있었다.

보다 냉정했더라면 북부무림이 이처럼 쇄락하지는 않았을 거라는 것이 백야벌의 평가였다.

북부무림은 주군의 지배력이 너무 약하다. 또한 수호가문 간의 지나친 정쟁으로 인해 무한한 인적 자원을 제대로 활용하지 못하고 있다. 그것이 그들을 가장 나약하게 만들고 있다.

언젠가 벌의 수뇌부 회의에서 대지존이 했던 말이 철군악의 머릿속을 맴돌았다.

'북부무림의 주군이 되려면 발톱을 숨긴 호랑이 같은 수호가문들과의 정쟁에서 먼저 이겨야 하는데…… 과연 이분이 그걸 해낼 수 있을까?'

일단 느낌은 나쁘지 않았다.

사람을 잡아끄는 묘한 매력에다 오만한 듯하면서도 결코 선을 넘지 않는 절묘한 처세술, 거기에 보는 이로 하여금 절로 위압감이 들게 만드는 묵직한 분위기까지.

당장 그가 봤을 때 이 나이에 이 정도의 기도를 지닌 인물은 떠오르지 않았다.

여덟 가문은 물론이고 백야벌에서조차.

아니, 한 사람이 있었다.

소무백의 이복형이자 백야벌의 후계자인 소무양. 바로 그였다.

'그러고 보니 두 분의 분위기가 상당히 닮은 것 같기도 한데……. 과연 누가 더 뛰어난 인재일까.'

한쪽은 만인의 우러름을 받고 백야벌의 후계자. 다른 한쪽은 쇄락일로를 걷고 있는 가문의 후계.

당장은 하늘과 땅 차이라고 볼 수 있는 두 사람을 두고 철군악은 선뜻 한쪽으로 마음이 기울지 않았다.

누가 그의 속내를 알게 된다면 비웃음을 사고도 남을 일이었지만, 철군악의 마음속에서 연후는 그 크기를 점점 더해 가고 있었다.

탁.

연후가 젓가락을 내려놓았다.

"다 먹었으면 그만 움직입시다."

"오늘 밤은 이곳에서 보내는 게 아니었습니까?"

"갈 길이 머니 시간을 아껴야지 않겠소."

"……알겠습니다."

소무백의 피로를 염려한 철군악은 아쉬웠지만 어쩔 수 없었다.

* * *

북쪽으로 가는 길은 한산했다.

관도의 눈도 달리기 적당할 만큼 녹아 있어서 연후와 일행들은 예정보다 훨씬 빠른 시간에 북부무림의 경계 지역까지 올라갈 수 있었다.

휘이잉!

바람이 점점 더 차가워지고 있었다.

차원이 다른 강풍과 한기에 말들이 내뿜는 입김이 그대로 얼어붙어 얼굴 주변을 하얗게 물들였다.

"철우."

"예, 주군."

"잠시 휴식한다. 말에게 콩을 먹이도록 해."

"알겠습니다. 잠시 휴식하신답니다."

철우의 나지막한 외침에 조금 앞서 이동하던 철군악과 소무백이 말의 고삐를 당겼다.

마차 밖으로 나선 연후는 윤회가 건넨 술로 목을 축이고 전방을 응시했다.

'저곳을 넘어가면…….'

흐려진 눈빛.

그리고 머릿속을 꽉 채우며 떠오른 아름다운 얼굴 하나.

모든 것을 포기하려 했지만 결코 그럴 수가 없게 만들었던 어머니의 얼굴이었다.

"총사."

"예, 주군."

"송림에 들렀다 갑시다."

"알겠습니다."

송림(松林)은 어머니의 고향이었다. 어렸을 적 꽤 자주 왔던 곳이며, 올 때마다 외가의 극진한 사랑을 받았던 터라 한시도 잊은 적이 없었다.

엄마, 나 그냥 여기서 살래.

아버지와 본 가의 서슬 퍼런 분위기가 싫었던 연후는 이곳에 올 때마다 떼를 쓰곤 했었다.

그때마다 어머니는 눈물을 짓곤 했는데, 그때 몰랐던 눈물의 의미를 아버지로부터 쫓겨난 이후에야 알 수 있었다.

한편 무심결에 연후를 돌아보던 철군악의 눈빛이 슬며

시 변했다.

'뭐지, 저런 모습은…….'

연후에게서부터 전해지는 진한 회한과 고독의 그림자.

지금껏 그에게서 한 번도 느껴 본 적이 없는 것이라 철군악은 묘한 감흥에 사로잡혔다.

잠시 후, 모두는 한 폭의 그림처럼 수려한 풍경을 자랑하는 고을의 초입으로 들어섰다.

삼면이 산이었고, 그 아래 자리 잡은 고을을 둘러싼 수많은 소나무들은 이곳이 왜 송림이라 불리는지 여실히 알려 주고 있었다.

그런데 뭔가 이상했다.

보는 누구라도 아늑함을 느끼게 할 곳이건만 고을은 황량하기 짝이 없었고, 대낮임에도 불구하고 오가는 사람조차 없었다.

심지어 점심때가 되었음에도 밥을 짓는 연기 한 가닥조차 찾아볼 수가 없었다.

마부석에 앉은 윤회와 철우가 이상한 느낌에 서로를 쳐다봤다. 윤회가 마차 안을 향해 조용히 말했다.

"주군, 도착했습니다."

덜컹.

문을 열고 밖으로 나서는 연후.

아련한 추억에 젖어 있어야 할 그의 눈동자가 고을의 황량한 모습에 한순간 가늘어졌다.

그때였다.

까가강!

"으악!"

"쫓아라!"

아무도 없던 고을 좌측에서 병장기 부딪치는 소리와 비명에 이어 두 명의 청년이 바람처럼 달려오는 모습이 모두의 눈에 들어왔다.

열 명쯤 되는 청포인들이 두 청년의 뒤를 쫓고 있었는데, 한 청년은 부상을 입었는지 피를 흘리고 있었다.

공교롭게도 청년들과 청포인들은 연후 등이 서 있는 곳을 향해 맹렬히 달려오고 있었다.

"비켜! 개새끼들아!"

청년들은 연후 등을 발견하고는 거친 욕설과 함께 검을 휘둘렀다. 철우의 눈빛에 살기가 돈 것도 그때였다.

"죽이지 마라."

연후의 한마디에 철우는 뽑으려던 검을 거두고 두 청년을 향해 움직였다. 뒤이어 양손을 가볍게 휘젓는다 싶더니 사납기 짝이 없던 두 청년이 맥없이 꼬꾸라졌다.

털썩!

휘리릭!

청년들의 뒤를 쫓던 청포인들이 일제히 연후 일행의 앞에 내려섰다. 그중 하나가 쓰러져 있는 두 청년을 발견하고는 연후를 똑바로 쳐다보며 히죽 웃으며 말했다.

"뉘신지 모르나 남의 일에 괜히 나섰다가 다치지 말고 그냥 가던 길이나 가쇼!"

연후는 말없이 청포인들을 살폈다.

그때 윤회가 나지막이 말했다.

"청룡방의 무사들입니다."

"어떤 곳이오?"

"저곳의 방주가 장천의 열렬한 지지자 중 한 명입니다. 일전에 말씀드렸던 선주의 소집 명령에도 자주 불응했던 곳입니다."

묵묵히 고개를 끄덕이는 연후를 잠시 응시하던 윤회가 청포인들을 향해 추상과도 같은 어조로 외쳤다.

"주군을 몰라뵌 것은 용서한다. 하나 알면서도 무릎을 꿇지 않는다면 죽음으로 대가를 치르게 될 것이다. 이놈들."

"……주군?"

"헉! 주, 주군가의 마차잖아!"

뒤늦게 마차를 알아본 청포인들이 두 눈을 부릅뜨며 경악했다. 하지만 연후를 향해 이죽거렸던 자는 오히려 웃으며 물었다.

"하면 지금 저 마차 안에 장가의 가주께서 타고 계십니까?"

"이분이 주군이시다."

윤회가 연후를 가리키자 청포인은 미간을 잔뜩 찡그리며 연후의 전신을 아래위로 훑었다.

아직 주군이 정해지지 않았고, 북부무림의 누구라도 장천이 차기 주군이 될 거라 예상하는 상황에서 청포인의 이러한 행동은 충분히 이해할 수 있는 부분이었다.

하지만 연후는 아니었다.

'이제부터 시작인가?'

고향으로 돌아오면서 결심한 바가 있었다.

틀림없이 자신을 반대하는 세력이 있을 터, 그들을 아우르자면 두 가지 방법밖에 없었다.

그중 하나는 공포 정치였다.

물론 크나큰 후유증이 뒤따르겠지만, 그 어느 때보다 난세인 작금의 상황에서 정적들을 가장 빠르고 확실하게 거두려면 그것이 최선이라 여겼다.

"철우."

"예, 주군."

"놈의 목을 베라."

"알겠습니다."

"뭐, 뭐라고!"

스슥.

퍽!

청포인은 비명조차 지르지 못하고 목이 떨어졌다.

그 광경에 일부 청포인들이 쥐고 있던 검을 치켜들었지만 몇몇은 안색이 창백하게 변하며 뒤로 주춤주춤 물러섰다.

"총사."

"예, 주군."

"지금부터 한 걸음이라도 움직이면 가차 없이 목을 베시오."

"존명."

스르릉.

윤회가 검을 뽑아 들고 청포인들의 뒤를 막아섰다.

철우는 자리를 지켰지만 모두 직감적으로 알고 있었다. 이 자리에 있는 누구도 절대 그에게서 벗어날 수 없다는 것을.

연후는 청년들을 돌아봤다.

혈도를 제압당했지만 의식은 멀쩡했기에 눈앞에서 벌어진 일에 크게 놀라워하고 있었다.

연후는 지풍을 날려 혈도를 풀어 주고는 무심히 물었다.

"자초지종을 들어야겠다."

"그 전에 감히 여쭙겠습니다. 혹시 십오 년 전에 떠나셨던 철혈가의…… 이공자십니까?"

'저 나이에 나를 알고 있다?'

연후의 두 눈이 이채를 발했다.

청년들은 많아 봤자 이십대 초반쯤 되어 보였다. 자신이 북부무림을 떠났던 십오 년 전이라면 어미 품에서 응석을 부릴 나이밖에 되지 않았을 터.

한데 자신의 신분을 정확하게 묻고 있었다.

그때였다.

청년의 무복 소맷자락을 수놓은 동방(東方)이라는 글자가 연후의 두 눈에 비수처럼 박혀 들었다.

뒤이어 연후의 입술이 벌어졌다.

"동방가의 무사들이냐?"

(북천전기 2권에서 계속)